U0072416

每個孩子都能學好規矩

JEDES KIND KANN REGELN LERNEN

安妮特・卡斯特尚——著
ANNETTE KAST-ZAHN

陳素幸——譯

目次 CONTENT

所有的父母都會犯錯

每天鬧……爭取注意

「我們到底做錯了什麼？」—父母最常犯的錯

還能怎麼做

有創意的解決之道

作者序

衷心感謝哈特穆．摩根洛特醫師（Dr. Hartmut Morgenroth），以專業能力及學術知識，陪伴與支持本書的誕生。第一章所提到的研究，是我們共同規劃，並在他的診所裡進行。醫師每天為許多父母和孩子看診，並為父母平常所碰到的諸多問題提供諮詢。透過與摩根洛特醫師的合作，我才能知道大部分家長真正感興趣的是哪些問題，也才能驗證出哪些訣竅和技巧，對家長和孩子確實有幫助。

安妮特．卡斯特尚
醫師

德文版推薦

那天正值流行性感冒爆發時期，候診室人滿為患。幸好四歲的妮娜沒有花太多時間就做完兒童健康檢查，正當我想結束問診時，妮娜的媽媽說：「啊！醫師，還有件事。妮娜好難帶，她的行為常常很離譜，我該怎麼辦才好？」

以前我可能會暗自嘆口氣，心想：「怎麼這麼會挑時間呢？掛號處前面可是大排長龍啊！我該花點時間告訴她怎麼用『暫停』這一招嗎？但是，其他正在等待的家長和孩子，就得再多忍耐十分鐘。要不要請她去找教育諮詢單位算了？可是家長得等上半年，才輪得到接受諮詢呀！」

當這本書送到我面前時，我真的鬆了一口氣。現在我大可放心的說：「針對你的問題，請可以讀這一章，還有那一章。一定有幫助！」書中許多建議相當實用，我介紹給家長，他們發現很有效！

哈特穆・摩根洛特

醫師

推薦序——每個孩子都需要合宜的規矩

在兒科門診，常有家長問：「不合她意，她就大哭大鬧，實在很難處理」，或是「他會亂丟東西，會咬人，我都不敢帶他和其他小朋友玩」，要不就是「我的孩子都不聽話，很有主見，該怎麼辦？」如果你有類似的問題，這一本書提供清楚實用的指引；如果你才準備要當父母，先看過這一本書，或許可以減少日後一些不必要的煩惱。

曾有人說，所有的職業都有職前訓練，就只有父母這個重要的職業，卻沒有職前訓練。我們依照自己被教養的過往經驗、或是避免以前父母帶領我們的方式來帶領孩子。有些父母一直想要滿足孩子的需求，有些父母又會以自己的標準為權威，更多時候父母採取的方式是在這兩者間搖擺，讓孩子無所適從。這本書讓我們好好思考：為什麼要有規矩？

書中指出：「確定明確的規矩，是父母無法迴避的責任」、「當父母訂下規矩，保護自己的需求時，並不是自私」。但是也要注意，有些親子間因規矩而產生的衝突，其實是父母不實際的期待所造成的。

例如要求三個月內的嬰兒定時定量，其實有可能反而造成嬰兒沒吃飽，哭鬧難帶。身為父母，應當滿足孩子的身心靈需求，但於此同時，孩子也需要學習尊重及體恤他人。了解孩子每個階段生理與心理的發展需求，並從中選定合宜的規矩，應該是最重要的開始。

我們也需要了解孩子的行為背後，可能的原因是什麼。在他表現良好時，我們是否給予具體的鼓勵讚美？平常是否有提供適當的關懷？不過書中的一句話也提醒我們，隨著孩子的成長，他們不需要父母隨時在旁。孩子有權無聊，應該讓他們負起規劃自己閒暇時間的責任，但不是看電視或玩 3C 產品；讓孩子有空間可以發揮想像力及創意，是相當重要的。

這本書羅列了具體可行的方法，提供父母如何讓孩子學會規矩的計劃。具體鼓勵孩子的優點，訂出合理可行的規矩，清楚的說明，確實的執行，讓孩子學會負責，承受自己行為產生的結果。

我想提醒讀者的是，親子意見不一是常有的情形，那是孩子發展自我的正常過程。父母需要關照到自己的情緒，不隨孩子起舞，無法控制時，寧可暫停分開，避免情緒化的語言與行為對孩子產生不良影響。接受孩子的情緒，同時清楚表達父母自己的感受，一方面可以讓孩子學會如何表達自己的情緒，一方面也能讓他們知道自身行為對別人的影響，以及他們自己該負的責任。

「隨著孩子成長，我們也再次成長」，這是句老話，卻是真理。希望每個父母以及孩子，都能好好享受這個過程。

陳昭惠
台中榮民總醫院兒童醫學中心特約醫師
台灣母乳哺育聯合學會榮譽理事長

推薦序——不敢管教孩子的父母

這本書能夠在全球暢銷逾百萬真的不是沒有原因的，詳讀後發現那些每天我在教學現場和家長們分享的育兒策略、耳提面命的管教技巧，原來書中早已梳理陳列並清楚論述出來，面對家中從八個月到八年級的孩子，很多衝突是不可避免的，如果不犯錯就不是孩子了，但如何有效的制定界線、執行管教，相信是每位家長都急於學習並希望能找到答案的。

在我的教室中這幾年的確出現不少「不敢管教」孩子的父母，有一次一位兩歲小女生的媽媽找我們諮詢，提到有一天她人不舒服躺在床上休息，小女孩因為無聊，所以不斷的要求媽媽起床陪她玩，媽媽已經表示頭很痛需要休息，但小女孩仍執意要媽媽起床陪玩，甚至最後爬到媽媽床上，從媽媽身後用力的踹媽媽下床，當我們聽到這裡已經覺得很不可思議時，媽媽又繼續問了另一個更不可思議的問題：「老師，我是不是應該要努力起床陪她玩才對呢？」讓我們一時之間還真不知道要怎麼回應這位媽媽。

在書中開宗明義就給了清楚的方向，就是父母需要目標明確，不確定的態度就會造成父母得不斷的讓步；父母過度的自我批判，就沒辦法站穩腳步的處理孩子不正確的行為或觀念，最後的結果就是被孩子牽著鼻子走，隨著孩子年紀漸增，能力、堅持度又更高的時候，管教只會益發困難，到時要再來調整孩子的態度與價值觀也就更難了。

每個年齡都有合理的規矩，不論是八個月的寶寶或是八年級的青少年，蒙特梭利講的叫「自然後果」，也就是書中所說的行為的關連性結果，孩子搶走別人的玩具，如果他不願意還，媽媽也會從他手中拿走還給別人，這部分也是我相當認同的概念，不是什麼都要大人好好講、低姿態的溝通，得到孩子認同，讓孩子自己願意還回去或道歉才是尊重或同理孩子，你以為的「因愛而退讓、忍耐」，很可能根本只是讓孩子不再尊重你，不論孩子年紀多小，都應該慢慢學習接受「我雖然不喜歡，但有時也得適應和接受媽媽合理的要求」，像是當媽媽真的不舒服時，我要練習自己玩，甚至主動關心和照顧媽媽，書中也提到「不管孩子幾歲，都讓他負起規劃自己閒暇時間的責任。如果你不間斷的陪伴小寶寶，那麼他根本無從認識自己的需求和能力」，這真是教養的其中一條金科玉律啊！

另外，我也非常喜歡關於吃飯，作者的論述：

- 請你限制供應食物的時間。
- 請你挑選你想供應的菜餚。

- 留給孩子決定他想吃多少。
- 陪孩子一起吃飯。多注意你自己的飯菜，不要注意孩子的。
- 吃飯時孩子要留在座位上坐好。
- 超出正常對話範圍、用來轉移注意力的東西是不適當的。

孩子為什麼會沒有規矩，為什麼總是不好好吃飯，很多時候都呼應了大人的盲點甚至軟弱，過度的擔心或不在乎孩子是否真的吃飽，只想著塞飯到孩子口中才安心，也就造成了層出不窮的吃飯問題，相信只要認真的執行書中清楚明確的方針，不只是吃飯，每個孩子必然可以學好規矩。

何翩翩
牧村親子共學教室創辦人

2015年再版推薦序

四年前拜批踢踢〈PTT〉媽寶版（BabyMother）生火文所賜，認識了《每個孩子都能……》系列，這系列包含了新手父母最為煩惱的三大痛點：睡覺、吃飯與規矩。主要作者是德國具心理學專長的行為治療師，她在提供諮詢多年之後，以豐富的輔導經驗整理出這一系列育兒書籍。其中，吃飯與睡覺這兩本書更加入小兒科醫師的專業見解。這位小兒科醫師非常風趣，他說在候診室人滿為患時，經常有父母親提出需要長時間討論的問題，過去他會困擾於沒有足夠的時間解答，而現在他會翻出書來說：「針對你的問題，請讀這一章，還有那一章，一定有幫助！」

《每個孩子都能學好規矩》書中以非常務實、系統、有層次的方式，討論教養孩子時可以使用的方法，極有誠意且實實在在的提出坊間許多育兒書付之闕如的「解決對策」，但又不像有些教養書所言的「XX 分鐘內解決教養問題」這般誇張。當然每個孩子都是獨一無二，一套方法未必適用所有孩子。然而本書提出的方法不只一套，甚至連「time out」都針對孩子情節的不同，詳盡彙整了許多實際施行的做法。書中還提出許多創意的教養之道，比如利用小布偶來跟孩子互動對話、自製繪本講故事、做些孩子意料之外的事等等，這些創意方法提供我許多教養靈感，在傳說中兩歲、三歲「貓狗嫌」的階段，大女兒小雨鮮少讓我感到孺子不可教也。

從我部落格的格友提問，完全可以感受到現代父母親對嬰幼兒食量有多麼焦慮與憂心。《每個孩子都能好好吃飯》建議：「由父母決定吃什麼、何時吃、如何吃；而由孩子決定：要不要吃、吃多少，並且相信孩子可以自己調節身體所需的食量。」看到這裡，大家應該很明白重點在於父母的心結。為此，書末還貼心的印有一連串標語，讓讀者可以自由剪貼在牆上，給孩子看的同時，也提醒著大人。書中的「體脂肪變化圖」也為四年前的我打了一劑心理預防針，讓我明白小雨的嬰兒肥終究會漸漸消失，隨著身高拔高，體脂肪必然會在六歲探往谷底。因為有心理準備，我們家因此避免了餐桌上的強迫餵食、威脅利誘、劍拔弩張。

四年前因為太喜歡《每個孩子都能學好規矩》、《每個孩子都能好好吃飯》這兩本書，我甚至在部落格中撰文跟格友推薦。當時小雨已經將近兩歲，睡眠狀況非常穩定，因此我沒特別針對《每個孩子都能好好睡覺》一書寫文。沒想到四年過後，隨著第二個孩子——小風妹妹的出生，我才明白為何坊間有如此多關於寶寶睡眠的育兒書籍！面對一個不易入睡、淺眠、睡眠週期短、睡眠需求低的寶寶，媽媽的迫切願望是孩子能再多睡一點點，作息再多穩定一點點。這回我將自己的育兒經驗歸零，閱讀許多寶寶睡眠書，重新思索適合自身與小風妹妹的助眠方法。《每個孩子都能好好睡覺》裡羅列的助眠法寶，介於親密育兒法與百歲育兒法之間，書中的作息記錄方式，更是我參考沿用的育兒妙法。

《每個孩子都能……》系列三書提出的育兒方法專業、具體、務實又多元，版面清新易讀，此外每一章節末還有「重點整理」，能幫助忙碌的家長節省許多閱讀時間，快速吸收書內精華。不是好書不推薦的小雨麻，給這套書五顆星推薦！

小雨麻
親子作家

「不以規矩，不成方圓。」為人父母者，對於孩子總有許多愛與期許，但如何在適度的自由下，不偏不倚的執行育兒原則？親子如何同步，讓孩子順勢認同，並遵循這套原則？《每個孩子都能學好規矩》這本書，以豐富的實務舉例論證，著實就是一本育兒實況的教戰手則，讀來豁然開朗，讓人拍案大嘆「豈止心有戚戚焉」！

Ashley 艾胥黎

親子部落客

一直很喜歡十九世紀初，德國幼兒園創始者福祿貝爾所說：「教育是愛與典範，別無其他。」然而《每個孩子都能學好規矩》讓我知道，雖然「愛與典範」絕對必要，但光有這些還不夠。父母還需要適當的「工具」，才能幫孩子建立規矩。

這本書是寫給家中有零到十歲孩子的父母親，說明如何運用適當有效的教養方案，協助孩子學好規矩。如果你為孩子難搞的行為大傷腦筋，也希望每一天不是在混亂與爭權中度過，那麼這本書所提供的建議，會有很大的助益。

李貞慧
作家暨閱讀推廣人

「我帶一個孩子都快沒命了，你帶三個男孩，怎麼還有時間搞那麼多教養花招？還寫了一本書啊？」

現在就將鏡頭連線到寒舍吧：小豬們各自進入「自治區」，伏案疾書，我可不想當盯哨站，手腦都空出來，做點好玩的事，為孩子迷上的「三國演義」搜尋資料，並為他們設計的「關刀」準備材料；吃完飯，小豬們自動收拾，並清洗自己的餐盤，我則安心變身為「安親班」老師，專心檢查作業……

如今我能談笑用兵，可是經過一段堅持到底、說到做到的「陣痛期」，就和這本書說的內容一樣。才會吸奶的寶寶就有能力記住爸媽的反應，推論出自己接下來的行為模式，可見「規矩」不論好壞，皆從「父母的反應」而習得。

其實咱家還有很多讓我束手無策的「禁播」畫

面：小豬們亂發脾氣，亂丟東西、頤指氣使、激怒媽咪……我已經開始實行本書的「三階段」計畫，和孩子約定合情、合理的家規，不是由情緒主導的嚴厲處罰，更非隨心所欲的隨性規定，讓孩子清楚自己的行為會連結到「必然的後果」，我堅定不移、沒有例外，三隻小豬的確愈來愈懂分際！

我大力推薦父母必讀此書，唯有「有原則的父母／守規矩的孩子」形成自動化的良性循環，才可能產出「輕鬆自在的父母／靈活創意的孩子」的全贏局面！

彭菊仙
親子作家

每個孩子都需要規範

本章你將讀到

為什麼典範與愛是絕對必要，

但還不夠？

為什麼連盡心盡力的父母，

仍覺得孩子「難搞」？

不同年齡的孩子，能學會哪些規矩？

父母與孩子之間經常出現哪些問題？

「教育之道在於典範與愛」——別無其他？

父母需要「工具」

▸▸ 派迪克兩歲半。他是個機靈的小男生，雙頰圓滾滾的，有著小天使一般的臉龐。雖然如此，他在幼幼班裡可是個「恐怖分子」。

每當派迪克靠近時，在場的媽媽都會緊張起來，警覺的盯著自己的小寶寶。可是同樣的事又發生了：這小子迅速揮出一拳，接下來，跟他年紀一樣小的「受害者」就會哭得令人心碎。派迪克偶爾也會咬人，有時候力道之大，兩星期後還看得見咬的痕跡。他常常從別的孩子手中搶走玩具，拿來亂丟或是破壞。當然派迪克也會乖乖的自己玩，或和其他孩子玩，根本不像平常張牙舞爪的他。

而他媽媽呢？派迪克有兩個姊姊，媽媽好不容易才如願以償，生下這個期盼已久的兒子。她簡直把兒子寵上了天，為他付出時間、關懷與愛。她當然從未在派迪克面前打過或咬過別的孩子，或從他手裡搶過玩具來破壞。儘管如此，派迪克還是一再重複做這些事。為什麼呢？

「教育之道在於典範與愛——別無其他」——此語出自福祿貝爾（Friedrich Fröbel, 1782—1852），十九世紀初德國幼兒園運動的創始者，但是這句話似乎並不適用於派迪克和他媽媽的情況。

儘管如此，福祿貝爾的這句話仍發人深省。我堅信，父母能給予孩子的，最重要就是「愛」，接下來是「儘量做個好榜樣給孩子看」。我們可以把教養工作，建立在這兩根基柱上。這句話我可能會寫成：「沒有愛與典範的教育，一無是處。」沒有這個基礎，就算是親職教育專家也幫不上忙。

的確，有的孩子似乎只需要父母的愛與好榜樣，就能發展出講理、負責任、值得疼愛與快樂的個性。這樣的小孩很早就透過認知來學習，他們接受父母設限，從不起來反抗，自願承擔義務，簡而言之，他們很少令父母擔心。但是，這樣的孩子很少，我自己也只認識幾個而已。大部分的孩子，包括我自己的三個，都不符合這種情形。愛與典範是絕對必要的，但光有這些還不夠。為人父母者還額外需要一種工具，好在必要時能動用。

父母如何阻止孩子去做不該做的事？又如何敦促他們去做他們不想做、那些「討厭的」本份之事，卻是身為父母的我們認為非做不可的事？當好話說盡都無濟於事時，我們該怎麼辦？

孩子愈來愈難搞？

我們愈來愈常聽人家說：「孩子愈來愈難搞」或「現在的孩子很難教」這類的話，總歸一句：「從前樣樣都比較好」。

沒錯，我們自己還是孩子的時候，和今天的小孩是不一樣的。但是我們以前是比較好的小孩嗎？我們的父母有很多事情的做法都跟我們不同，但他們真的是比較好的父母嗎？

我們試著不要重蹈自己父母的覆轍。我們想要以不打罵、不嚴懲、不威脅恐嚇、以坦率的態度來討論性教育……等方式來教育我們的小孩，大部分父母也都辦到了。三十年前，大家多會接受「因害怕受罰所以服從」的觀念，到了今天又是如何呢？

今天的我們賦予孩子更多發展自己個性的權利，致力開發他們的才能，給他們更豐富的刺激，這全都勝過我們自己孩提時的經歷。

從前沒有樣樣比較好

我們小時候，誰有自己的房間？誰可以在眾多運動項目或樂器中挑選？誰可以享有自由坦然的性教育？誰學會了落落大方走向大人，並提出令人不愉快的問題？

為人父母的我們，
今天可以為許多進步感到驕傲，
更可以為我們的孩子感到驕傲。

我們的孩子運氣不錯，也不比過去任何一代的孩子差。每個時代父母跟孩子之間都有各自的問題。今天許多大人，都還承受著當年封閉的教育所造成的苦果，甚至因此需要藥物或心理治療。

盡心盡力的父母

現在的教育比較開放，很多父母比較會自我批評，不再羞於向小兒科醫師或心理學家談論他們的問題。他們想獲得充分的資訊，以勝任為人父母的任務，會去聽相關的演講，閱讀兒童教養的書籍，並在幼幼班或在家裡與其他家長碰面、交換經驗。

很多媽媽接受過良好的教育，但她們中斷職業生涯，長年將心力完全貢獻在孩子的教養及家務上，她們將來很難、或甚至完全不可能再回到職場，但她們仍默默接受。另一些職業婦女又必須把家務、小孩和工作協調好，她們克服許多不同任務的能耐，令頂尖的經理人都相形見絀。

在過去，單親媽媽不像今天這麼多，但是她們全都有傲人的表現，而且還經常是在經濟困難的條件下辦到的。

她們投注這麼多的心力，為什麼卻仍有這麼多問題？因為大家只注意到不成功的那部分。若著眼於此，父母似乎是失敗了。

失落感特別大的，就是那些辭掉工作、完全奉獻給家庭和孩子的年輕媽媽。許多家庭主婦得面對這種指責：「你整天又沒別的事做，連孩子都帶不好！」這些指責（不管有沒有說出口）多來自於先生，因為他在下班後或週末時，想要擁有自己安靜的休息時間。

不過很多媽媽也給自己很大的壓力：「我絕對要把所有的事都做對！」這些媽媽很容易陷入困境，為了自己和孩子所犯的諸多錯誤而生氣，卻忽略了許多好端端的事。

態度不確定就會讓步

父母自己態度不堅定，就會影響他們對待孩子的方式。若是擔心自己可能會犯錯，不確定自己要什麼，又不敢做出果斷堅定的處置時，就會讓孩子突然「大權在握」。無論孩子是六個月、三歲或十歲大，都能感受到父母態度不夠確定。他們感受得到，而且會為所欲為，貫徹自己的意志。

若父母行事不夠自覺、目標不夠明確，
便會啟動一連串嚴重的惡性循環。

如果父母只是暗自想著：「希望他馬上停止尖叫」或「孩子要我做什麼，我就做什麼，只要他別再吵鬧就好了」，這樣會發生什麼事呢？

這種情況下，孩子會得寸進尺，而父母只能愈來愈弱勢。到最後決定日子該怎麼過的，不是爸媽，而是孩子。父母的要求被丟到一邊了，但這樣的讓步絕對不會帶來平靜與和諧，只會引發新的衝突。

有時候父母只留有限的主導權給孩子，可是很多情況下，好比穿衣服、吃飯、打掃整理，或是手足之間的相處，都會為了一點小事而弄得雞飛狗跳。「我的小孩想做什麼就做什麼」或「我做什麼都沒差，反正我的小孩根本不聽話」——這些話，我們在門診時，經常從神經緊繃的父母口中聽到。有時這類稀鬆平常的問題，會發展出乖張的行為，最後甚至在幼兒園和學校裡造成困擾。

碰到這些問題的父母，對孩子的發展不是漠不關心。他們知道孩子需要設限，他們不會「自動」長大。這些家長都非常盡心，但有時就是束手無策：「我真的已經盡力了，我還能怎麼做？」

你也心有戚戚焉嗎？那麼這本書正是為你而寫的。

難搞的小孩：八個月到十歲孩子的實例

▸▸ 保羅的父母到診所來接受諮詢時，保羅八個月大。「他是個很恐怖的小孩，」媽媽嘆氣道：「他讓我們筋疲力盡。剛生下他時我們多高興啊！可是從他呱呱落地的第一天起，每天都嚎啕大哭數小時。我們整天都抱著他走來走去。」

「幸好夜裡他會睡一下。我們以為，嬰兒在三個月內常發生腸絞痛，保羅也可能如此。但三個月後，他的情況並沒有改善，甚至哭鬧得更厲害。他還住院，接受為期一週的徹底檢查，結果並沒有發現任何異狀。保羅的要求愈來愈多，現在連我抱著他的時候也哭，每隔幾分鐘就要我變新把戲哄他。當我打算洗碗時，都快騰出半個廚房給他，過了十五分鐘，我連一個杯子都還沒洗乾淨，甚至上廁所都得帶著他去。他連一分鐘都不肯自己玩。我該怎麼辦？」

事情發展到這地步的原因何在？你會如何建議保羅媽媽呢？讀下列例子時，你也可以嘗試自己回答這兩個問題。

- 當奧力佛的媽媽來電要約個諮詢日期時，在電話中哭了起來。她兩歲的兒子剛被幼幼班「開除」。園長認為，奧力佛攻擊性太強，幼幼班承受不起。「有時候連我都怕他，」媽媽說：「他真的很壞，會咬我、踢我，有一次甚至拿錄音機丟我。只要有事不順著他的意，他就拚命大吼大叫。我再也受不了了。」
- 卡蘿拉三歲半。她不肯吃飯，所以基本上都是讓大人餵。她會隨意嘔吐，而且經常這麼做。她常常嘴裡含著早餐，一嚼就是半小時，都不吞下去。白天大部分的時間，都在爭論「吃飯」的事情。

- 米莉安剛滿六歲，不久前多了一個小弟弟。米莉安一向很難帶，可是現在媽媽說米莉安「真叫人受不了。她每天早上都拖拖拉拉，不肯穿衣服，早餐吃個老半天。米莉安每星期有兩到三天不去幼兒園，因為根本來不及準備好。她完全拒絕收拾整理任何東西。在冗長的爭辯後，通常都是我來做。她也不讓弟弟安靜休息。當我抱著弟弟時，她甚至會用力拉他，直到我把弟弟交給她為止。此外每晚都要鬧兩小時，才肯上床睡覺。」
- 薇琪八歲大，是個比較害羞沉默的小女孩。兩週來她不肯上學，每天早上出門前要上十次廁所。薇琪每天早上都說她肚子痛，並且試著說服媽媽准許她待在家裡。她已經得逞三次。

所有這些問題是如何發生的？你會如何建議這些父母呢？在後續的章節裡，我將回答這些問題。

重點整理

☑ **沒有愛與典範的教育是不可能的**

不過有時候愛、典範與苦口婆心是不夠的。這時候父母需要適當的，能夠動用的「工具」。

☑ **我們的孩子沒有變得「比較難搞」**

比起從前的父母，現在很多父母較容易自我批判，態度也比較不確定。他們知道孩子需要設限，更想知道：應該如何設定有效的合理界限。

☑ **孩子在挑戰我們**

從八個月到十歲「難搞」孩子的實例，可以看出許多父母日復一日所必須應付的挑戰，並促使我們思考這方面的問題。

我的孩子應該學會
哪些規矩？

每個年齡都有合理的規矩

嚎啕大哭數小時的小寶寶、會咬人和打人的幼兒、吃飯習慣不好的小孩、叫人受不了的幼兒園小孩、會肚子痛的小學生……這些都是父母眼中的「問題孩子」。所有父母都一致認為：「我們想像中的小孩，不是這個樣子！」

你可曾思考過，自己對孩子的發展到底有什麼想法？父母的願望與孩子實際學到的規矩，有時候天差地遠。任何年齡的孩子，從小寶寶到學齡兒童都有這種情形。

一歲前的嬰兒

「我的寶寶長得非常漂亮，總是心情很好。小寶寶幾乎整天都在睡覺，若沒有在睡，都可以自己玩。他笑口常開，飲食正常，也很健康。學講話和每一件事都比同年齡的孩子快。因為他到任何地方都適應得很快，所以我能帶著他到處走，偶爾把他托給奶奶或保母也沒問題。我的寶寶很討人喜歡，愛跟我依偎在一起，很享受親密的接觸。」

我們誰不曾夢想過有這麼一個漂亮的小寶寶？廣告將我們的夢想，巧妙的轉換成雜誌裡的圖片和電視裡的畫面。於是我們看見了自己的願望，而且會想：「沒錯，正該如此！」事實上，所有夢想成真的父母，真的可以說自己很幸福。的確，沒有任何問題的漂亮寶寶及幸福的父母雖然很「正常」，每位小兒科醫師也會認識一大堆，但是睡得很少、不會自己玩、愛哭、喝奶習慣很差、體弱多病、患有過敏或慢性病、比別人晚學會走路和講話、不喜歡跟別人碰觸，而且一換地方就鬧脾氣的寶寶也很「正常」。大部分的寶寶，是介於這兩個極端之間。

你絕對有權在懷孕期間、剛生完的頭幾個星期，夢想有個完美的寶寶。但比較明智的做法是，準備給自己一個驚奇。有位年輕媽媽這樣告訴我：

▸▸ 「我在懷孕期間，滿心期待小寶寶誕生。我算準會生個男孩，也把一切想像得非常美妙。但是結果完全不一樣，我生了一個女兒，她很難帶，老是哭，很少心滿意足，整天都要我注意她。幾週後我都快神經崩潰了。沒料到會這樣，我真的徹底失望！」

每個孩子都不同

在受精的那一刻，很多事都已大致底定：性別、身高、體格和外表，會遺傳到哪些疾病傾向、睡眠需求和胃口、性情和學習能力，這些都是你無法左右的。除了先天的天賦與體質外，一些有利的環境因素，多少也會影響孩子的發育。但是孩子剛開始哭得多或哭得少、喝奶習慣好或不好、睡得多或少、時常生病或多半很健康，卻遠遠不受你影響。

所以我們不能這麼問：「一歲以前的孩子，應該而且可以學好哪些規矩？」而是應該問：「我的孩子應該，而且可以學好哪些規矩？」最重要的是，孩子一旦出生後是什麼樣子，你就該接受他的樣子，即使他很「難搞」、得了慢性病或是殘障。思考適合孩子每個年齡的教育目標，而且是孩子能夠達到的合理目標，是件艱難又重大的任務。這項任務，沒有人能代替你。

或許你很驚訝，孩子在嬰兒時期就能夠學習規矩，或者更適當的講法是：關聯性。

新生兒不知道什麼是對或錯，什麼令人喜愛或令人不快，但是已有能力記住父母對他的行為產生什麼反應，還能從中推論並決定自己接下來的行為。他的方法雖然有限，卻非常有效：一個燦爛的微笑能化解父母的怒氣，激烈的哭泣則會引起我們擔心、同情、憤怒或無助。我們總是迫切的希望，寶寶能儘快停止哭泣。

我們整理出許多「規矩」與做法，是寶寶在一歲前可以學的，特別是六個月起，這些規矩會決定他的世界觀。這些是隨機挑選出來的幾項範例，請自行判斷怎麼做較適當。

做法 1：孩子認為「我要什麼就有什麼」

- 「當我哭鬧時，要有人陪。」
- 「只有被抱著到處走，我才會入睡。」
- 「想要吃東西時，不管白天和夜裡隨時都有得吃。」
- 「當我拒絕用湯匙時，每次都可以喝到母奶。」

- 「當我在娃娃車裡哭鬧時，最遲五分鐘要把我抱起來。」

你的孩子學到的是這一類的關聯性嗎？如果是的話，那麼他學到的規矩就是：「我要什麼就有什麼，爸爸媽媽沒有自己的需求。」

做法 2：孩子認為「我的需求完全不重要」

- 「不管我餓不餓，都得把整瓶牛奶喝完。」
- 「雖然我只能睡十小時，但每晚必須躺在床上十二小時。」
- 「每次吃完飯就立刻被放在一旁，沒人理我。」

你的孩子在這裡學到的，和上面列舉的規矩完全相反：「爸爸媽媽要什麼就做什麼，我自己的需求不會受到重視。」

這兩種規矩都有明顯的缺點，但是我們還有第三種做法。

兩歲和三歲的幼兒

孩子過完一歲生日之後，你對未來兩年有何期待？

「孩子一歲會走路，開始會講話，三歲時話講得很完整。會是一覺到天亮。之前早就已經順利的從母乳轉換到固體食物。很

適用於嬰兒的規矩

前面提到的「我要什麼就有什麼」跟「我的需求完全都不重要」都有明顯缺點，但你還有第三種做法：：

- 「媽媽決定何時給我吃，以及吃什麼，但我可以決定要不要吃，以及決定我要吃多少。」
- 「當我吃飽、開心滿足時，媽媽特別愛跟我玩，而且玩得很盡興。」
- 「當我哭鬧時，會得到我需要的一切；但如果我繼續哭鬧，爸媽就會少注意我。」
- 「爸媽一天當中會好好陪我玩好幾回；但是他們自己有重要的事要做時，我得自己玩一下，即使我不喜歡。」
- 「家裡幾乎所有東西我都可以去探索，但有幾樣東西絕對不准碰。」

你的孩子學到的是這類的關聯性嗎？

如果是，那麼他同時也學到：「從爸媽那兒我可以得到我所需要的一切，但不是要什麼就有什麼。爸媽會注意我的需求，不過有時候他們就是比較清楚，應該怎麼做才對我比較好。」

喜歡跟其他小孩玩，樂意分享他的玩具，但有需要時也能貫徹自己的意志。在幼幼班裡總是熱烈參與，對弟弟妹妹特別好。

聽話，從來不亂跑，不會黏我，只靠近允許他靠近的東西，總是心情好又健康。兩歲大就不用包尿布。會自己吃飯，最喜歡吃健康食物，像是蔬菜水果。

喜歡在他房裡玩，可以自己玩上好幾個鐘頭。在遊戲區會興奮的到處嬉鬧玩耍。很勇敢，但從不做危險的事。看起來總是乾淨又整潔。」

夢想與現實

你認識這類「完美」的小孩嗎？我認識一些媽媽會說：「一定要這樣。如果有一點點不同，就代表我失敗了。」但是如果慢一點學會走路和講話，三歲還在穿尿布，不愛吃健康食物，在幼幼班裡不熱中參與活動，而且想把弟弟妹妹送回醫院，這樣的孩子也很正常呀！

在這段急速發育期裡，每個孩子都以自己的速度擴展視野。他學會走路，而且會跑遠。學會講話，「不」這個字也屬於其中之一。會蓋起一座塔，然後撞倒。

學會跟其他孩子接觸，如果不是透過講話，就是用摸、揍或咬。會吃所有的食物，而且會拿起食物來丟擲。會擁抱媽媽，或者踢媽媽。

這個年紀的孩子無法理解什麼是好、什麼是壞，但是他能記住父母一再重複出現的反應，並且從中得出結論。至於是哪些結論，則根據他所認識的規矩而定。

對兩歲和三歲的兒童而言，可能有這些規矩：

做法 1：孩子認為「我來做決定！」

- 「從別的小孩手裡搶來的東西，我可以留下來。」
- 「如果我不吃這樣食物的話，媽媽會煮別的東西給我吃。」
- 「如果我坐在地上哭鬧的話，就能立刻實現我的願望。」
- 「我記得什麼時候該上廁所。如果我拒絕去，媽媽會幫我清理乾淨並為我包上新的尿布。」

這些規矩都是出自同樣的條件：「我要什麼就有什麼，別

適用於幼兒的規矩

家長可以選擇第三種做法，來取代前面提到的規矩，如此孩子會學習到自我負責的態度：

- 「如果我從別的孩子手中搶走東西，媽媽會從我這兒把東西拿走，並且還給他。」
- 「如果我不吃午餐，就得等到下一餐。」
- 「如果我坐在地上哭鬧，媽媽立刻走出房間。」
- 「我現在不再包尿布了，即使我常常『大』在褲子上。」

如果你帶孩子去上學，學校或許也有這類規矩：

- 「玩遊戲時，我可以選擇要不要和其他小朋友一起玩。」
- 「共進早餐時，大家都坐在桌邊。吃完可以站起來，但是不准手裡拿著食物亂跑。」

人怎麼樣不重要。」

做法 2：孩子認為「爸爸媽媽嚴格的全權決定一切」

- 「如果我搶走別的小孩的東西，會被打屁股。」
- 「必須坐在馬桶上，直到上完廁所為止。」
- 「如果不吃午餐，會被強迫餵食。」
- 「如果生氣坐在地上耍賴，會挨罵挨打。」

這裡和前面提到的規矩相反，只有父母有權決定一切，他們不體諒孩子的感受。若孩子須輪流面對這兩種規矩，會搞糊塗。

四到六歲的幼兒園學童

絕大多數的小孩在三歲之後上幼兒園，展開一段新生活。你對這年紀的孩子，懷著哪些幻想和願望呢？

「我的小孩現在講話口齒清晰，能自己吃飯和穿衣服。從上幼兒園的第一天起就很興奮的去上學，接他放學時，他也很高興。他樂於接受幼兒園的所有課程，無論是畫畫、勞作或唱遊。很快交到朋友，時常自己跟他們相約。

不太愛看電視，比較愛看繪本故事書，喜歡在房裡玩有創意的積木或拼圖。玩完會接著自動整理房間。四歲大時會游泳和騎腳踏車，會讀和寫自己的名字。最慢五歲時至少表現出一種特殊天分（例如跳芭蕾舞、打網球或彈鋼琴），可以從現在開始加以栽培。幾乎不再哭泣和發牢騷。父母與老師的要求都乖乖遵從，心情總是保持愉快穩定。」

接受孩子原來的樣子

你的孩子是這樣嗎？或者正好完全相反？

三歲還口齒不清，必須餵他吃飯、幫他穿衣？不喜歡上幼兒園嗎？很害怕跟你分開嗎？不肯上有趣的課程，寧願在外面嬉鬧？要費好大的力氣才能讓他離開電視機前嗎？你是否覺得他不夠靈活，拒絕下水或坐上腳踏車？他覺得「好的」玩具無聊透頂，反而偏好某些你根本不喜歡的彩色塑膠玩偶？每次一上體育課就哭？是否常常哭，而且對你的要求常常回答「不要」？

適用於幼兒園學童的規矩

有第三種方式，可以取代前面不太有效的做法：

- 「即使我衣服還沒穿好，媽媽還是準時送我去幼兒園。」
- 「如果我哭鬧得令媽媽很煩，她就走出去。」
- 「我的玩具必須自己整理。」

孩子在幼兒園裡，還會學到更多類似的規矩：

- 「所有孩子都乖乖上廁所。」
- 「吃完早餐，把自己的盤子收好、洗乾淨。」
- 「所有孩子一起整理，整理好以後才去外面玩。」

只有孩子在家裡和在幼兒園都確實遵守，才能學好這些規矩。

若這上一段敘述全都符合你小孩的情形，或許你會覺得自己的幻想破滅。但是這樣的小孩也完全正常，你必須先接受他原本的樣子。然而，這不表示你沒有辦法影響孩子，畢竟孩子還是從你這裡學習規矩。下列規矩與做法中，有哪些你覺得似曾相識？

做法 1：孩子認為「我說了算」

- 「如果早上我不肯穿衣服，媽媽會幫我穿。」
- 「如果早上我拖拖拉拉或胡鬧，就不必去幼兒園。」
- 「如果我拒絕收拾，媽媽會做。」

這樣孩子學到的是如何實現他的要求，不必顧慮他人。

但另一種極端也是有可能的，例如以下做法：

做法 2：孩子認為「根本沒有我說話的餘地」

- 「如果我不自己穿衣服或者拖拖拉拉，就會被臭罵一頓或得到嚴厲的懲罰。」

孩子覺得自己任憑父母擺布。有些父母會在這兩種極端之間擺蕩，可想見，態度搖擺不定，無法為孩子帶來好的影響。

七歲以上的小學生

「嚴酷的生活，從上小學的第一天開始。」很多孩子都很怕這句話，但父母也同樣容易陷入壓力當中，愈來愈看重成績和成就。你想像中的「完美」小學生是什麼樣子呢？

「當然是引領期盼開學日的到來。好學不倦，充滿學習動力，課業絕對不會超出他的能力。一下子就能讀、能寫、能計算，自動自發在最短的時間內寫完功課，這樣才能把休閒時間拿來從事有創意的活動，或是運動……」

可能性與界限

你可以夢想孩子是個「理想」的小學生，但是不能以你的夢想來塑造或教育他。

以閱讀來說，不是每個孩子都能毫不費力就學會的。學游泳或安靜坐好也一樣，有些孩子要非常努力才學得會，而當他終於學會的時候，可說是了不起的成就。

每個孩子都有他的強項，重要的是如何發掘和培養。每個孩子也都有他的局限，這一點你必須接受。

當你的要求過度超越孩子的能力時，
壓力已經在前面等著你和孩子。

也許你在乎的完全是另一回事，例如誠實、勇氣、忠誠、謙虛、友善、公平、禮貌……等等，這些品德價值對你而言非常重要，你想在小學階段進一步教導孩子這些品德。但是，你可注意到，現在的兒童教育，早已不再談論這些目標？功成名就、向前邁進、貫徹個人意志、為自己的利益鑽法律漏洞——這類「價值」反倒是目前比較常見的。

美國的琳達與理查・艾爾夫婦（Linda & Richard Eyre），曾撰寫過一本《如何教導孩子價值》（Teaching Your Children Values）。作者教養經驗豐富，因為他們有九個小孩。

這本書裡總共提到十二種價值，除了前面提及的之外，還有個性平和、敏感、尊重與愛。他們建議家長每個月針對一種價值「質問」孩子，並經由一起練習而熟稔這些美德。書中有很多具體訣竅，例如配合角色扮演或團體遊戲，都很有幫助。

我希望更多家長能好好思考這類的價值，並以身作則為孩子樹立榜樣。這方面特別需要你來做模範，但是否真能透過學習程序而熟稔這類價值，我則持懷疑的態度。

現在又有一題選擇題要問你：你認為哪些規矩是合理的？

做法 1：「我贏了」

- 「如果早上我拖延得夠久的話，爸爸就會開車送我上學。」
- 「如果寫功課時裝得夠笨的話，媽媽每天都會坐在我旁邊兩個小時，陪我做功課。」
- 「如果在家不准我看電視的話，我就一直哭鬧，直到媽媽准許我看為止。」

這樣的規矩是：即使孩子行為不當，他還是「贏了」。如此一來，他學到如何隨時實現自己的意志，但並沒有學到為自己的行為負責。

做法 2：「我輸了」

- 「如果我早上拖拖拉拉，晚上就不准看電視。」
- 「如果功課出現一個錯誤，媽媽會把全部擦掉，我必須整頁

適用於小學生的規矩

以下這些規矩，比前面提到的做法更合理：

- 「如果我早上拖拖拉拉，上學就會遲到。」
- 「媽媽協助我做功課。若我開始胡鬧，她就會走出房間。」
- 「當某些電視節目不適合我看時，爸媽就會關掉電視。」

孩子在小學階段，也會在學校學會許多其他的規矩。
這裡舉幾個例子：

- 「準時到校。」
- 「按照規定完成功課。」
- 「上課時要坐在自己的位子上。」
- 「發言要舉手。」

重寫。」

- 「如果媽媽逮到我偷看電視，我會被臭罵一頓而且被罰禁足。」

這樣的規矩，全賴父母專斷的決定，與孩子的行為沒有關聯，因此他根本看不出處罰的意義何在。當孩子沒有受到尊重時，他會覺得自己是個失敗者。

合作有益

有些孩子在家裡沒有學會遵守合理的規矩，到了幼兒園和小學就會面臨問題。當他們不接受界限、不顧慮他人，只做自己感興趣的事時，會很容易遭到排擠。

在幼兒園、小學，及兒童和青少年團體裡，不僅要清楚說明規矩的內容，更要貫徹執行，否則孩子學到的就是：「規矩只適用於那些笨蛋，但不是我。」孩子愈大，為人父母的我們就更需要與其他團體合作，協助孩子建立對界線與規矩的尊重。

選擇哪些規矩？

在前面幾頁的說明中，你看出自己教孩子哪一種規矩嗎？

如果總是順孩子的意，他就學不到什麼叫做界限，很容易變得自私，既不尊重父母，也不尊重別人及他們的需求。

然而，若父母從根本壓抑孩子的意志，也毫不顧慮孩子的需求，那麼孩子很難發展出自信，也學不會自立。

第三種規矩，則是另一種合理的選擇。這些都是公平的規矩，不僅顧及父母，也把孩子的需求包括在內，但絕對可能完全違背孩子的意志。這些規矩是要求孩子尊重父母與他人，如此可讓親子以正面積極的態度相處，不再是天方夜譚。

這些規矩不會依照父母心情而搖擺，而是固定、可靠又預料得到的，孩子事先就知道不遵守規矩的後果。而且這些規矩顧慮到孩子年齡與發展狀況，可以提升孩子能力，卻又不至於太過苛求。這些規矩為孩子設定合理的界限，卻不會限制他的個性。這樣的規矩，需要經過充分考慮和設想。

讓什麼來指引我們？

有些家長並沒有好好想過，他們要訂什麼家規，而是直接從過往的記憶中，回想自己的父母如何做，以擷取經驗。

有些家長會告訴自己：「絕對不要像我爸爸那麼嚴厲」，或者「絕對不要像我媽媽那麼吹毛求疵」，並且嘗試相反的做法。又有一些家長正好重複了自己父母的行為模式，然而，那些行為模式曾讓他們自己痛苦不已。例如我們看到，小時常挨打的兒子，長大以後經常變成會打小孩的爸爸。

回想自己的童年是好的，而且要好好思考：「過去的經驗，讓我對待自己的小孩會造成哪些後果？我的行為是出於自覺且目標明確，或者我是往事的受害者？」

要走出過去的陰影或許並不容易，這時與伴侶或好友談談會有幫助。情況嚴重時，最好尋求專業協助。有些人試著從專業書籍和教養指南汲取「正確之道」，但他們會發現，專家很多、意見很多，因此我們需要花點心思，尋找禁得起考驗的著作。

訂立明確的規矩和界限，是你無法迴避的責任，這一點毋庸置疑。孩子愈小，愈不懂就長期而言，什麼是對他是有好處的。這必須由你決定、由你負責。

下面這個故事，可以看出父母有自信、有把握，是多麼重要的事：

▶▶ 湯瑪斯今年十二歲，凱絲婷十歲，彼此相處得很好，不像一般的兄弟姊妹，總愛吵吵鬧鬧。他們的行為也都很討人喜歡。他們自願且樂意分擔工作，既友善又肯合作。兩人都不會膽小退縮，而是快樂又點子多。「他們是自然而然變成這樣。」這位令人羨慕的媽媽告訴我。我問她：「你是怎麼做到的？」

原來，湯瑪斯和凱絲婷小時候曾忍受著痛苦的折磨。特別是湯瑪斯在六歲之前患有嚴重的異位性皮膚炎，每晚睡覺都不停抓癢，搞得早上起床時，床單上都是血跡；不久之後，凱絲婷也出現相同症狀。

媽媽一開始簡直絕望，她試過所有方法，看過各種的醫師、請教其他病患，設法買到相關書籍來閱讀。

她花了很長的時間，耐心的嘗試，才終於找到真正能幫助孩子的方法：她揣摩出一套嚴格的飲食計畫，不管是在幼兒園，還是孩子過生日，總是貫徹執行到底，最後總算有了改善。

湯瑪斯和凱絲婷是極有紀律的小孩，這位媽媽從這段過程中下了一個結論：這兩個孩子注意到「爸爸媽媽盡一切力量幫助我們。他們最清楚什麼對我們有好處，這是我們可以信賴的。」也許是這樣的經歷，讓孩子接受媽媽的規範和界限。她自己也從中學習：只要非常肯定什麼對孩子有好處，那麼界限的設定自然會順利成功。

自信讓父母更強、更有說服力

但如何做到這一點呢？大部分家長都很確定的是，必須保護孩子遠離危險。沒有人會允許兩歲的孩子跑到街上去、玩插座或是把小東西放進嘴裡，不管孩子如何抗議這類禁令。

同樣的，我認識的家長幾乎都堅持開車時孩子要繫上安全帶，而且要一直繫著。你也做到讓孩子繫上安全帶了嗎？你又是怎麼辦到的？這不就證明了你擁有你所需要的能力，可以劃定界線。只要關係到保護孩子的安危，你一定不會猶疑不定，因為你清楚知道什麼是對的。

大部分家長也都認為，不准孩子傷害任何人，或者粗野的辱罵別人，也絕不允許孩子偷竊、說謊及破壞他人物品。這一點大家普遍都意見一致，即使在貫徹執行時經常碰到困難。

不過，要刻意決定睡眠時間、用餐禮儀、甜點、電視、幫忙做家事、準時回家、完成功課、謙恭有禮、樂於助人等等事情的規矩和界限，就困難多了。我們可以、應該要求孩子做到什麼呢？

我的印象是：很多父母不夠認真看待自己的需求，至少很多媽媽都是如此。

在列出你的規矩時，可曾注意你自己的睡眠夠不夠？全家共餐可有帶給你樂趣？每個人都幫忙做符合他年紀的家事，而不是把所有家事都推給你嗎？你也有要求休息的權利嗎？「我不過是善盡責任而已！」這句感嘆，我已經從許多媽媽口中聽到。

當你訂下規矩，保護你自己的需求時，那並不是自私；相反的，只有這樣，孩子才能學會體恤和尊重他人的感受。

大約十年前，尊重其他大人還是很正常的事。在過去大人得裝出很蠢的樣子，才會失去孩子的尊重。但這情況已經改變，今天為人師表者被一個七歲的孩子罵「你這個笨蛋，給我滾！」已經不是什麼稀奇的事。很多家長看到自己的小小孩是怎麼對自己說話的，都感到十分震驚。

我們大人現在必須花一番力氣，才能得到尊重。「講話要客氣」這條規矩，應該要列為首要才是。這裡特別需要我們以身作則，但光這樣還不夠。我們應該強力要求待人接物需要用適當的語氣，正如要求坐車要繫安全帶一樣。

很多家長對孩子的要求太少，但也有很多家長讓孩子承擔太多責任，把孩子根本做不來的決定，都留給孩子。

不久前有位幼兒園老師告訴我，某一天她班上有三個孩子患了重感冒發燒，但還是都來上學。園方通知媽媽說，必須把孩子接回家，而三位媽媽都提出相同的解釋：「我知道我的小孩生病了，但是他好想去上學。我能怎麼辦？」

如果你把這樣的決定留給孩子，這已經超出孩子的能力。他想要有安全感，想要受到保護。他需要有人給他安全感，需要那種「爸爸媽媽知道什麼對我是好的」的感覺。

如果把太多規矩都留給孩子自己決定的話，他會很自負，而你從孩子那兒獲得的不是愛，反而是缺乏尊重。「只要小孩喜歡，不胡鬧就好，這是我們家的鐵律！」如果你家裡是這樣的話，那麼是你挑起責任，將大權握在自己手裡的時候了。

要避免哪些問題？

家長應該具備什麼本領，才能讓孩子既感到安全受保護，又不會感到受限制？我們並不想無條件的順從孩子，而是想教導他們合理的規矩，以避免問題反覆出現，也讓親子之間的相處輕鬆一點。我們想給孩子正面的引導，如果知道是哪些問題特別容易讓親子之間產生摩擦，便知道該從何著手，而這一點是很重要的。

為了尋求解答，我與小兒科醫師摩根洛特一同設計了一份

每個孩子都該儘早學會的規矩

如果你和孩子想避免上述常見的問題，那麼孩子應該儘早學會下列規矩：

- 「偶爾必須自己玩。」
- 「鬧彆扭不會帶來任何好處。」
- 「如果很重要的話，必須照爸爸媽媽說的去做。」
- 「不需父母協助，就能入睡。」（關於這個主題，我們有一本《每個孩子都能好好睡覺》，書中提到了一些解決辦法。）

問卷，給帶孩子到診所接受第四到第九次預防檢查的家長填寫（包括從四個月到六歲的六個年齡組別）。

問卷共有十六種問題行為，按照年齡分級，供家長選擇。

問卷調查的結果雖然無法代表全部的人，不過從三百二十份問卷的評估結果中，可看出一些有趣的趨勢：

從四個月到四歲的所有年齡組別中，有個問題一直名列第一：「我的小孩一直要人陪。」有 20 ～ 25％的家長認為這是個問題。這問題在六歲小孩，亦即學齡兒童那一組卻不重要。

下列問題也同樣特別時常被提到：

- 「我的小孩不聽話，他愛做什麼就做什麼。」（一到六歲之間的年齡組別）
- 「我的小孩每星期要鬧好幾次彆扭。」（這在一歲時還不是問題行為，在二至四歲之間的孩子卻排名第一）
- 「我的小孩有睡眠問題。」（特別常發生在七個月到兩歲之間）

其他常見的問題

這份問卷調查，也發現其他有趣的結果：

- **尿床：**約有 20％的四歲兒童，以及超過 10％的六歲兒童夜裡還會尿床，不過這些兒童的家長，只有少數覺得這是個問題。關於這一點，小兒科醫師的解釋扮演舉足輕重的角色，父母因而知道這問題通常跟孩子的體質有關，隨著時間會自動「逐漸消失」。

- **分離焦慮：**「孩子一跟我分開就哭。」有四分之一的一歲孩子，以及六分之一的兩歲孩子會有這種問題，較大的孩子很少發生，顯然這個問題需要靠冷靜和耐性來解決。分離焦慮在很多孩子身上都屬於正常的發展，大多會自動消失。
- **害怕某些動物或狀況：**二到四歲的孩子當中，有六分之一有這個問題。到六歲時會變得非常普遍，孩子中有三分之一會這樣。可以想見，這個年齡層的小孩對某些情況感到害怕，是屬於正常的發育。
- **吃飯：**所有家長中，只有 4%認為他們的孩子吃太多。二到六歲的孩子當中，有 20%的家長認為他們的孩子偏食。此外，很多家長都深信自己的孩子吃太少。雖然這個問題在孩子的嬰兒時期幾乎不曾提到，但四到六歲的孩子當中，有 5%遇到這個問題。

但小兒科醫師的印象卻與此相反：在接受預防檢查的那段時間內，從醫師的角度來看，沒有任何一個孩子是因為營養攝取不足和體重過輕，以致危害健康而出現問題的。

每個小孩自己最清楚他必須吃多少或喝多少。如果他吃得很少，可能有兩種原因：一是他健康又活潑，所以不需要吃更多；或是他生病了，所以吃不下，在這種情況下就必須找出病因加以治療。

「我的孩子吃太少」這個問題，幾乎總是深植在父母的腦海裡。關於這主題，有個實際的案例（第三章的卡蘿拉）供你參考。在我們《每個孩子都能好好吃飯》這本書，也可以找到更詳盡的資料。

從門診中，我還知道一些問卷裡其他不常提到，但仍非常重要的問題：手足之間的爭吵和嫉妒、攻擊行為、過動、遊戲時耐性與專注力不足。孩子上學以後，要守的規矩和會發生的問題將更複雜：留在座位坐好、專心、遵守老師的指示、順利的開始和完成分配的工作、與同學和睦相處、確實又整齊的完成回家功課……這一切會要求孩子在短時間內做到，但不是所有孩子都辦得到。

正視問題

每個問題，只要父母覺得那是問題，即便很少發生，都應該嚴肅看待。本書是儘量為大多數父母而寫，因此在挑選所要討論的規矩時，是以最常發生的問題為主。然而，書裡的指示與訣竅，也可以應用在其他的問題上。

重點整理

☑ 願望與現實經常天差地遠

很多父母對孩子的期望很高，使得他們對孩子的發展很失望。先接受自己孩子原本的樣子，是比較明智的做法。

☑ 孩子從嬰兒時期就能開始學習規矩

小寶寶就已經能記住父母的反應，並從中推論出自己該有的行為。不管是小寶寶、幼兒、幼兒園兒童或是小學生，孩子會從與父母日復一日的相處經驗中學習規矩。孩子從幼兒園開始，外界的影響會變得愈來愈重要。

☑ 父母替孩子挑選規矩

你可以從自己的經驗或專業指南叢書裡，找到指引。如果父母清楚知道哪些規矩對他們而言真的很重要，哪些問題是他們想要避免的，這樣對父母挑選規矩會很有幫助。

☑ 孩子六歲之前父母常抱怨……

孩子一直要人陪、不聽話、每星期都要鬧好幾次彆扭，或有睡眠問題。在某些年齡層，恐懼、飲食失調和夜裡尿床，也是重要的問題。

所有的父母都會犯錯

本章你將讀到

為什麼教養過程免不了爭論？

孩子基於哪些充分的理由，做出異常的行為？

孩子為了爭取注意，卻演變成嚴重反抗？

如何避免孩子為了爭取注意而反抗？

父母特別喜歡做出哪些反應，同時也特別無效？

為什麼父母帶有敵意的反應，
會造成嚴重的後果？

每天鬧……爭取注意

孩子為什麼要反抗？

教養過程中，親子之間沒有衝突與爭論是不可能的。理由很簡單：教養有時候意味著把帶給孩子樂趣的事情結束掉。看電視、吃零食、打水仗、在外面玩耍、喧鬧……身為父母的你總是那個「破壞樂趣的人」，到了某個時候就會說：「夠了。現在馬上停止，不准繼續。」孩子會抗議、咒罵或者心情變差，甚至遷怒到「掃興者」的身上。教養也意味著：督促孩子去做絕對不會帶來樂趣的事情，例如整理、打掃、刷牙、上床睡覺、做功課。這些事很多小孩都不會自動去做，可以想見，他們會抗議、咒罵、情緒惡劣，把怒氣發洩在要求他們做這些無聊事的人身上。想像一下，孩子對每個要求的回答是：「好的，媽媽。」然後立刻去做你要他做的事，你不覺得很奇怪嗎？

大部分的孩子天生就不是溫馴的小綿羊。他們比較像整天在打鬥的遊戲中，互相較量的小獅子。

小娃兒也想知道誰比較強。

他們想知道自己有多少權力與影響力，能在誰的身上、用什麼方式貫徹他們的意志。不過，孩子比小獅子麻煩的是：他們通常沒有年紀差不多的兄弟姊妹一塊兒長大。很多孩子根本沒有兄弟姊妹，因而需要父母做為練習反抗的對象。

這種樂於反抗的天性，是人類與所有哺乳動物的共通點，行為生物學上的專業用詞稱之為「攻擊性社會探索」：孩子會探索他們的影響力，在他們的社會領域裡能到達多遠，能在誰的身上發揮什麼效應。

譬如小寶寶會反覆把湯匙從高腳椅往地上丟，而每當媽媽再把它撿起來時，他都很高興，像這種不帶惡意的遊戲就屬於此類。不過嘗試做出攻擊行為，也屬於此類：揍人、咬人、坐在地上耍賴尖叫。孩子試著做出這類行為是完全正常的。當孩子太過分、妨礙到別人時，或想要貫徹其意志，卻正好不是玩樂的時間，而是必須履行義務的時候，家長的任務就是設定界限。

從這些認知得出三點重要的結論：

- 如果父母中只有一人老是扮演吃力不討好的「樂趣破壞者」，會使家裡的氣氛不好。較明智的方法是，父母兩人共同分擔：有時陪伴孩子玩，但也要求他們履行義務。
- 親子之間的爭論，是無法完全避免的。當孩子無法實現他們的願望時，他們必須抗爭，但父母不必隨之起舞，不必把孩子的每次挑釁、辱罵和違抗都牽扯到自己身上。你可以保持安靜和冷靜，因為你可以這樣想：孩子不是針對個人，他只是正好又在測試他能違抗到什麼程度。有誰比你更適合作為測試對象的呢？
- 不是所有孩子都愛反抗和較量，從出生的頭幾個月起就有顯著的差異。一有事不如這些「小鬥士」的意時，他們就會非常激動。一丁點小事（例如沒有立刻吃到零食），就能引發激烈的反應：他們會持續不斷的嘶吼、坐在地上耍賴、以頭撞地。鬥士的意念愈強，就愈激烈、愈堅決嘗試要達到目的。對這類孩子的父母而言，教養是一項特殊的挑戰。退讓代表：「終於安靜了！」但是也代表：給孩子充分的理由，繼續這種異常的行為。

異常行為的惡性循環

當你給孩子設定界限時，可以想見孩子會對此不滿。他想要為所欲為，並為此抗爭。你當然會認為他抗爭的方式是一種不當的行為：他跑開、哭鬧、賴在地上、打人、不待在他的床上。這些行為為何一再發生呢？孩子真的只是喜歡爭辯嗎？

我們再仔細想想：究竟發生什麼事，導致孩子做出異常行為？我如何回應？我給了他下一次要循規蹈矩的理由嗎？或者他有充分的理由，下回又有機會讓人氣到抓狂？

孩子幾乎總有理由繼續做出異常的行為，這是父母造成的，但父母的本意並非如此。

父母也是人。有時他們的反應正好造成反效果，鼓勵了孩子的不當行為，所以孩子沒有理由改變。在這個時候，孩子幾乎都抱著這個基本願望：「我要人家注意我！我要獲得重視！」

我們再看一次第一章裡那些「難搞小孩」的行為。

先看要人不斷陪伴的小寶寶保羅。保羅得到的關愛那麼多，為什麼依然常常大吼大叫？反過來問：為什麼他應該停止大吼大叫？他每天經歷到的是，吼叫是值得的，這樣每隔幾分鐘，就能讓媽媽為他找點新點子來玩。在這樣的情況下，他何必自己找點事來做呢？又怎麼會想到，自己就能決定不再繼續吼叫呢？反正媽媽每次都來安慰他呀！

你還記得那個「幼幼班裡的恐怖分子」派迪克嗎？如果他又打別的小孩或者搶人家的玩具，會發生什麼事？他媽媽會趕緊走到他身邊，告訴他不准這麼做，以及為什麼不能這樣做，接下來的十五分鐘，她會特別積極的陪著他，好「轉移他的注意力」。這樣一來派迪克不但沒有任何損失，反而得到媽媽更多關注，那他又何必改變行為？

卡蘿拉吃飯的習慣很差，她的經驗是：如果我吃飯胡鬧，會得到最多的關注，這樣我就能延長和控制每次的用餐時間。

上幼兒園的米莉安藉著拖延戰術，讓自己獲准留在家裡。

薇琪藉著肚子痛來逃避上學。

上述這些小孩都有一個共通點：他們不當的行為是值得的，會因此得到更多關注，至於選擇做出哪些行為，則沒有太大差別。每個小孩都有其個人特質，每位爸爸媽媽也都有他們的弱點。孩子常能清楚感受到，透過哪一種行為最能讓媽媽或爸爸感到不安。父母愈是焦慮不安，孩子就愈居於優勢，孩子還學到：「我不只要得到關注，我甚至要貫徹我的意志！我比父母要強！我來決定該怎麼做！」

孩子真的常常很有影響力，但這對他並沒有好處。他覺得自己很強，因為在爭權時，在與別人較量時，甚至是跟大人較量，他都常常是勝利者，但這卻跟真正的自信無關。孩子沒有在自己內心找到平靜，他覺得不被接受。他必須不斷證明給自己和其他人看，他「比較強」。他必須每天想出新花樣來爭取注意，因為他確信：「反正不會有人自願陪我。如果我的行為引起注意的話，就立刻會有人來照顧我。如果我行為正常又平靜，就什麼事都不會發生。」

不斷向孩子解釋為什麼他不該做這個或那個，一再罵他，一再討價還價，最後一再讓步的父母會漸漸惱火起來，與孩子相處變得動輒得咎。即便有一段時間相安無事，父母還是非常擔心下一次的爭吵。有些父母就算非常盡心盡力，把很多時間留給孩子，也可能在不知不覺中違背其本意，陷入孩子「爭取注意」的惡性循環裡。孩子不可能靠自己的力量從這循環中解脫，只有父母有能力，從任何一個點退出這個循環。

實際案例

經由上面所描述的循環方式，孩子種種「難搞」行為會保留下來，而父母也會透過各種不同的方式注意孩子。令人意外的是，除了安慰、一起玩耍和抱在懷裡，孩子也會覺得負面的關注，像是辱罵、警告，甚至毆打，讓自己成了「注目的焦點」。孩子的意思好像是：「如果我已經得不到關愛，那麼至少要得到排斥。」下面的例子，就是說明「爭取注意」如何成為一個惡性循環。每個箭頭，都可以對應**圖 2-1**，起點則為孩子的異常行為。

→小蠻「胡鬧」。五歲大的他，為了引人注意，每晚上床睡覺時都要「鬧」一小時。不只要聽一個故事，而是要聽很多

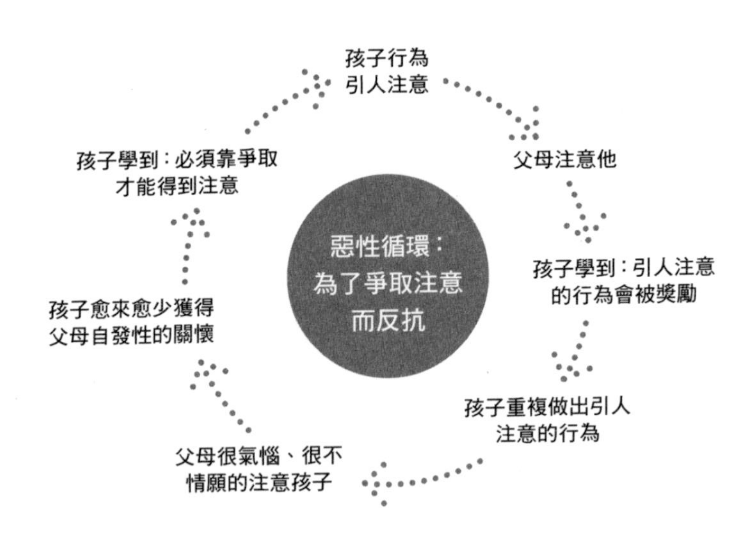

圖 2-1：一個巴掌拍不響：孩子有充分理由做出異常行為

個，聽完總是又爬起來，要吃喝點東西，每隔一天就要求媽媽躺在旁邊陪他，因為他會「感到害怕」。

→**媽媽注意小蠻，每天晚上至少講三個故事給兒子聽**。小蠻通常要求講更多故事，而且還會哭。媽媽多半會讓步，繼續講故事。

→**小蠻學到：我的「胡鬧」會被獎勵**。他感受到：「只要一哭，至少還可以再撈到一兩個故事。看看我還可以得到什麼！」

→**小蠻重複做出異常的行為**。他繼續「胡鬧」、從床上爬起來、喊叫、哭泣、要求。

→**小蠻媽媽很氣惱，很不情願注意他**。剛開始她還很平靜，給他吃給他喝，然後再送他上床睡覺。終於有一天她失去了耐性，開始大吼說：「現在該結束了吧！每天晚上都這樣鬧！你真叫人受不了！」有幾次她因為不知道該如何是好而抓住小蠻，用力搖晃他，有一回她狠狠揍了他一頓。當她最後讓步，躺在小蠻身邊時，是一肚子怒氣，而且很不耐煩等小蠻睡著。

→**小蠻愈來愈少獲得大人自發性的關懷**。他媽媽一想到晚上他總要胡鬧就很擔心。講故事根本沒有帶給她樂趣，因為她知道：小蠻永遠聽不夠。她的關懷不是發自內心，不是自願對兒子付出過量的關注，而只是因為他強迫她而已。當小蠻偶爾破例一次聽一個故事就心滿意足，聽完乖乖躺在床上時，他媽媽會非常高興，終於有自己休息的時間。她會避免再踏進他的房間。

→**小蠻學到：必須爭取才能得到注意**。他看出媽媽晚上不願與他分享她的時間。他想：「看來她不怎麼喜歡我，但是我要她陪我！我已經知道最好的辦法是什麼。如果晚上鬧一鬧，就可以讓她單獨陪我整整一小時！」從這裡再接著繼續循環。

→**小蠻重複他異常的行為**。第二天他又胡鬧……

在幼兒園爭取注意

這樣的循環不只發生在家裡及父母身上，幼兒園或學校也同樣會發生。孩子甚至經常從這一個循環陷入下一個循環，因而加深了下面這種觀念：「我可以，而且必須強迫所有大人來照顧我。」

以下取自幼兒園的一則故事，可說明**圖 2-1** 的循環過程。

▶▶ 妮娜四歲。她和媽媽的關係非常親密。不過妮娜媽媽有時會覺得帶妮娜很費力，因為這小孩在跟媽媽分開時，經常淚眼婆娑、傷心欲絕。

妮娜很受其他孩子喜愛，她人緣好，又是個點子王。有時候她會在外面跟朋友玩上一整天，也喜歡邀請玩伴來家裡玩，但若沒有親愛的媽咪陪伴，她從來不去別人家玩。

上幼兒園的第一年剛開始，一如預期，妮娜很難跟媽媽分開，之後就滿順利的。但是自從暑假過完，第二年要開始時，妮娜突然出現很奇怪的行為。她在家裡就哭得肝腸寸斷：「我真的一定得去幼兒園嗎？」

妮娜大部分都由爸爸送去幼兒園，好讓分離的痛苦不那麼嚴重。到了幼兒園以後，「胡鬧」繼續上演。

→**妮娜哭泣**。她不跟別人一起玩，而是坐在角落裡，自顧自的低聲啜泣，令人聽了鼻酸，藉此引起注意。若問她為何傷心，她說：「我也不知道為什麼這麼傷心。」

→幼兒園老師注意她。總會有人在某個時候可憐妮娜，把她抱在懷裡，安慰她，找她一起玩個遊戲。老師關心之後，妮娜停止哭泣，好一會兒平靜的自己玩。

→妮娜學到：引人注意的行為會被獎勵。她想：「老師並沒有陪別人像陪我一樣玩得那麼久。我的眼淚似乎讓她印象深刻。」

→妮娜重複她異常的行為。幼兒園裡二十五位小朋友一起吃早餐，要等大家都吃完，才可以再開始玩。妮娜討厭無聊的坐在那裡等候，她發現如何能縮短這等待時間：吃早餐時她又開始哭，光安慰她沒有用，於是妮娜常常獲准第一個起身，到角落自己玩。不過她多半會繼續哭。

→老師覺得很氣惱，而且愈來愈不情願注意她。當老師不知道該拿妮娜怎麼辦時，就把她送到園長辦公室去。園長很忙，只想要妮娜趕快安靜下來，不要吵她，所以常常給妮娜吃糖果（妮娜在家裡只有星期六才有糖果吃），而且讓她在辦公室裡玩起來，她起初還輕聲啜泣著呢。等妮娜平靜以後，再送回班上去。

→**妮娜從老師身上只得到少許自發性的關懷**。若妮娜剛好不哭，老師會很慶幸，但她只有哭才能得到注意。因為妮娜的特殊行為，她跟其他孩子少有接觸，漸漸的朋友也不再靠近她。妮娜於是得到一個結論：「別的小孩都不喜歡我。」

→**妮娜學到：「注意必須靠爭取才能得到！」**她當然看出老師漸漸對她長時間的哭泣失去耐性，但她也知道必須怎麼做才能得到特殊「待遇」，包括糖果，還有避開那無聊的團體早餐：那就是一定要哭得又久又令人同情才行。可惜的是，妮娜在爭取注意的同時，也錯過了與其他孩子一同玩耍的樂趣！

→ **妮娜重複她異常的行為**。第二天她又哭了……

對抗爭權的有效方法

你可察覺到，你與你的孩子也陷在類似的惡性循環裡？或者你很想避免陷進去？有幾個有效的對應方法。

- 想辦法讓孩子從他異常的、不當的行為裡，得不到任何好處。
- 傾聽孩子的心聲，並注意他的需求。
- 送出「我……」的訊息，亦即傳達出身為父母的「我」，有何感受與想法。請參考 91-92 頁表格。
- 讓孩子為他的行為承擔更多責任。
- 藉由固定的儀式，來簡化你們共同的生活。
- 主動多注意孩子，讓孩子不必靠爭取才能得到你的關注。

接下來，分別說明這些對應方式的做法。

不鼓勵不當行為

從許多例子看出，孩子會有很多充分的理由「胡鬧」。身為父母的我們，時常透過我們的反應，鼓勵這些其實非常困擾我們的行為。我們到底做錯了什麼？如何處理更恰當？這些問題將在第三章詳細討論。

傾聽孩子的心聲

「傾聽」聽起來很容易，其實很難。小寶寶雖然還不會講話，但是我們還是能傾聽他們的心聲：我們會嘗試從他們的哭聲中聽出訊息，看看孩子到底要傳達什麼，是肚子餓、口渴、痛、生氣或無聊？我們需要仔細的觀察和練習，才能正確解讀訊息。

即使孩子學會講話，我們也無法一直都聽懂他說的話。可是當我們大人裝傻，又聽不懂孩子的話時，他會發脾氣。我們可以猜，並且問他是這個還是那個。無論如何都能讓他知道：我們很認真對待你，而且注意聽你講話。

孩子經常不願意說出他的感受和需求。父母必須像解讀小寶寶似的，辛苦解讀出孩子心裡到底想要做什麼。美國心理學家湯瑪斯・高登（Thomas Gorden）在一九七〇年就已針對這個主題提出建議，他使用「主動傾聽」這個概念，並呼籲家長：

「請不斷問問自己，孩子所說的話背後，到底隱藏哪些需求和感受？」把你所聽出來的訊息告訴孩子，藉此可以幫助他更了解自己的感受，並自己尋求解決之道。

下面這段八歲的湯姆和他媽媽之間的談話，可以進一步說明何謂「主動傾聽」。

▸▸ 湯姆：「巴斯提真煩。他什麼都要決定，不然就不跟我玩。」

媽媽：「我看，你真的很氣巴斯提。」

湯姆：「氣？我恨死他了。我要跟他絕交。」

媽媽：「孩子，你還真氣。你真的再也不要見到他，是嗎？」

湯姆：「沒錯，再也不要。可是那我要跟誰玩呢？」

媽媽：「完全沒有朋友也不好……」

湯姆：「沒錯。可是如果他再這麼煩，我沒辦法跟他和好！」

媽媽：「生氣的時候，是很難和好的。」

湯姆：「真奇怪，平常都是我作主，他都聽話。現在他卻要作主。」

媽媽：「他不再接受你的指揮了。」

湯姆：「他突然不再是個小寶寶了，不過雖然變成這樣，但有時候跟他玩也有趣得多。」

媽媽：「其實你比較喜歡這樣。」

湯姆：「是啊，可是到目前為止都是聽我的啊！我已經習慣了。如果偶爾也讓他作主的話，我們會處得比較好嗎？」

媽媽：「你是說，你們輪流做決定，就不會這麼容易吵架？」

湯姆：「是啊，也許是吧。我來試試看吧。」

設身處地的傾聽，能讓一場為爭取注意的反抗變得多餘。它幫助孩子找到自己的辦法，自己負起責任。

有時候傾聽會變成一段「翻譯」。舉個例子：你到幼兒園接孩子放學。他一臉不悅，劈頭就對你說：「笨媽媽，你不該來接我的。」他心裡到底在想什麼？你真以為孩子認為你很「笨」嗎？他大概只是很失望，偏偏現在要被接走，因為他正好玩到一半。這種情況下你可以對他說：「我怎麼偏偏現在來接你，你玩得正高興呀！」

你將孩子的訊息翻譯出來的話，他會覺得你了解他，因此你沒有給他任何繼續與你抗爭的理由。不必繼續跟孩子討論，只要堅持他現在得跟著你一起回家。

給孩子更多責任

第一章曾經強調過，孩子迫切需要界限。我們呼籲家長要認清為人父母的責任，並決定須設定的界限。那麼現在建議「給孩子更多責任」難道不是矛盾嗎？不是的，兩者其實是一體。

許多孩子似乎認為，操控大人是非常重要的。他們對自己的需求和感受反而不太了解，真的不知道該如何跟自己相處。孩子必須學習如何度過自由、不靠父母的方式規劃時間，並負起責任。

傳送「我……」的訊息

心理學家湯瑪斯．高登，提出了另一個有效的方法，能反制孩子爭取注意的反抗：他提到「我……」這個訊息。這個方法表示：「當小孩行為不當時，可以告訴他我們的感受。孩子會因此覺得受到父母認真的看待，這麼一來，改變孩子行為的可能性，會大過用責罵的。」以下表格，是有關於父母可以傳送給孩子「我……」訊息的例子。

衝突	**「我……」的訊息**
兩歲的孩子在媽媽講電話時哭鬧、拉扯媽媽。	「我現在必須先講完電話，這對我很重要！」
五歲的孩子在爸爸正在吸地板時，幾度把吸塵器的插頭拔掉。	「這樣我沒辦法繼續吸地板。我不能跟你玩，我得先完成這件工作。」
七歲的孩子已經答應好幾次要整理他的房間，但是一直沒有做到。	「我現在真的太失望了！不是說好你今天要整理？我認為，能夠信賴你是非常重要的一件事。」
九歲的孩子比約定晚一小時回到家。	「你終於到家了，我真的鬆了一口氣！我好擔心，真怕你出了什麼事！」

藉「我……」的訊息，可以給孩子一個機會，讓他自己看出錯誤，並獨力找到解決之道，完全不必用引起負面的關注。孩子會學到為自己的行為負起更多的責任。

孩子的問題	**「我……」訊息**
孩子跌倒，哭泣。	「我很同情你，跌倒一定很痛！」
孩子哭，因為他不想去幼兒園。	「如果上幼兒園能讓你覺得更有趣的話，我會非常高興。」
孩子哭鬧，因為他很無聊。	「我真的很同情你，現在想不出來有什麼事好做。」

藉由這句神奇的「我很同情」，讓孩子看到你的諒解與同情，不過其中也隱含了一些言外之意：「我相信你可以處理這個情形。」但重點是，要真心誠意的說，諷刺或挖苦的語調只會得到反效果。

嬰兒也能自己料理很多事

想像一下：你的小寶寶吃飽了，換上乾淨的尿布。他健康活潑，你們剛才一起愉快的玩了半小時。現在你把他放在遊戲墊上，想要做點家事，寶寶卻不喜歡自己一個人玩，於是哭了起來。怎麼辦？你選擇：立刻中斷工作，抱起寶寶來安慰他嗎？只要寶寶一哭，你就這麼做嗎？寶寶從這裡學到什麼？

他學到：「媽咪要為我的感受負責。當我心情不太好時，她要負責改變這個情況。」如此一來，孩子沒有機會為自己的情緒負責，他沒有機會學到：「只要我想哭，就可以開始哭。但我也可以停止不哭，只要我想到更好的事可做。」你剝奪了他決定「哭或不哭」的機會，而且你已經開始陷入「爭取注意」的惡性循環裡。

我的建議並不是「讓寶寶不停的哭鬧」。大部分父母在寶寶呱呱落地幾週後，就能從他的聲調，聽出什麼時候才是真正需要安慰和幫助的。若他是出於無聊、生氣、耍脾氣，或只是要貫徹他的意志而哭，那他應該學習偶爾也要自己安靜下來。你可以待在孩子身邊，每隔幾分鐘跟他說說話（還要繼續哭嗎？還是你現在想玩一玩？）或者把他抱起來一下子。就算孩子不再是小嬰兒，仍可以繼續這麼做。請記住：孩子有權心情不好。你可以要求他偶爾自己玩，但不能要求他喜歡自己玩。

當孩子不是真有什麼痛苦時，父母若能以鎮定和平靜的心情，容忍孩子哭泣，是非常有幫助的，所有父母和孩子都能從中獲益良多。

若孩子能靠自己的力量平靜下來，你就有充分的理由再好好陪他玩。

關於自己需要什麼，孩子應該要逐漸做更多決定，並自己承擔後果。

舉個例子：雖然父母應該替孩子決定何時給他吃，並決定要供應哪些菜餚給他，但除了孩子自己，沒有任何人能決定他的食量。只要孩子不想繼續吃，就該結束用餐。他很快就會學習找出正確的食量，只要三餐規律在固定時間就行了。

請相信你的孩子真的能自己決定食量！拿著湯匙跟在孩子後面跑，想把食物灌進孩子嘴裡的人，已經陷入「爭取注意」的惡性循環。請記住：「孩子吃太少」這個問題，幾乎永遠深植在父母的腦海。當孩子拒絕吃飯時，經常是藉此觸動媽媽特別脆弱的一面。孩子清楚感受到，這塊領域最適合用來「爭取注意」。

上幼兒園和學校的責任

幼兒園兒童的父母經常抱怨，孩子早上穿衣服時拖拖拉拉。要知道，幼兒園的大門九點鐘就會關上，你的任務實際上是準時送孩子到那裡。但是孩子是否把頭髮梳好，穿戴整齊，是否還有時間從容不迫吃早餐，這些決定你可以交給他。當他覺得自己有責任時，早上就不再有理由「胡鬧」。

小學生最討厭的，就是功課。問題又來了：正確而完整的做完功課，在你家是誰的責任，是你或你的孩子？這責任應該交還給孩子，雖然你可以規定他應該何時完成，以及花多少時間；但孩子要把功課做得多整齊、完整、詳細和完美，則應該准許他自己決定。只有這樣，他才會覺得自己要承擔起後果——不論成功或失敗。而你自己當然可以隨時注意情況，提供孩子協助、察閱功課，必要時指出錯誤並和老師保持聯絡。這麼一來，就能避免不必要的爭權。

無聊的權利

不管孩子幾歲，都讓他負起規劃自己閒暇時間的責任。如果你不間斷的陪伴小寶寶，那麼他根本無從認識自己的需求和能力。若你上幼兒園的孩子已經需要用到行事曆，那麼受限的不只是你自己，孩子自由發展人格的權利，也受到限制。

有些媽媽像是隨時待命的計程車司機，把孩子從這個才藝班載到下一個才藝班。上述原則也適用於小學生身上，孩子被規劃的時間愈多，這個問題就愈常出現：「媽媽，我該做什麼？我好無聊！」

孩子有權無聊，但別准許他用看電視或玩電腦，來填補每分鐘的空檔。孩子必須，且應該能夠自己負起他無聊的責任。他得自己決定：「我是要四處遊蕩、無所事事，或是想更好的事來做？」

有時候孩子真的只想無所事事，而父母也應該接受。孩子無聊時，也許會想出很棒的創意點子，或一起遊戲，或和鄰居相約互動。

孩子如果能在適合他們的環境下活動是最好的：他們可以在車少的巷弄裡自己玩耍，並和鄰居孩子碰面。就算不一定能常常如此，在家裡也可以創造出一個自由空間，讓孩子畫畫、做勞作、捏黏土、戲水或喧鬧。或許因為空間不足，不是每天都能這麼做，但重點是，在家裡也可以偶爾隨興做做這類活動，而不是把所有時間都排好固定的才藝課。孩子自由發揮的機會愈多，就愈容易回答「我該做什麼？」這個問題，你也可以對他說：「你自己決定你想做什麼。」

責任與信任

賦予孩子更多的責任，是相當大膽的做法。很多家長不安的問：「我可以不必擔心孩子不會整天哭鬧嗎？他真的吃得足夠嗎？不會每天穿著睡衣到幼兒園嗎？不必我催促也會做功課嗎？不會整天到處亂晃嗎？」

你不相信孩子能夠自己做出所有這些決定？你總是認為孩子是最糟糕的那個？如果是，那麼這情況大概也真的會出現。孩子會感受到你的不信任，因而感到氣餒。

你的訊息必須是：「我知道你可以自己決定。我信任你會做出正確的決定。」不管你是否說出口，孩子會感受到這個基本態度。你的信任能大大幫助他做出自己的決定，負起責任。

實施固定的儀式

「你家裡有哪件事，是不必緊張兮兮，也不必大鬧一番就能順利進行的嗎？」再沮喪的父母稍微考慮之後，也能列舉出幾樣告訴我。那通常都是一些重複的過程，是在家裡已經理所當然，而不需要再討論的事，像是上車要繫安全帶、進家門要脫鞋、飯前洗手、睡前刷牙，向客人問好和道別……等等這些小事。你家裡有哪些「不成文的規矩」呢？所有家人的確都必須遵守這些規矩，唯有如此，一切才能順利進行：只有身為爸爸的你也坐在馬桶上，而不是站在馬桶前小便時，才有辦法讓兒子也跟著這樣做。或者「每天早上都要吃健康早餐」，但如果你自己一面喝咖啡一面抽菸的話，這就不可能成為儀式。

不是所有的儀式都是好的。我們為孩子廢除了許多我們還耳熟能詳的舊傳統：「把手肘從桌上移開！鞠躬！吃飯不准講話！大人講話的時候，小孩子安靜！」在很多家庭，連挨打都是一種常見的儀式。

儀式促進團結

反過來說，能促進家人聯繫與團結的儀式，則是好的儀式。有一種非常重要的儀式，是一起用餐。只要可能，全家人應該每天至少一次一塊兒坐在餐桌邊，一起吃飯聊天。如果每個人只煮自己的一小份餐點，午餐分批用微波爐加熱來吃，而晚上每人各自端著自己的飯菜到房間裡吃，或坐在電視機前面吃，那麼很多聯繫就流失了。

晚上的儀式也很重要：總是在同樣的時間、發生同樣的過程。如果在這儀式的最後，總是接著講共同的故事或做共同的遊戲，孩子會相信這一天有了一個美麗的句點，並為此而高興。

家事中的小責任也能成為儀式。把自己的床鋪好，收拾洗碗機裡的碗盤餐具，擺好餐具準備開飯——很小的孩子就能完成這些工作。最好是每個人都負責固定的、相同的工作。

▸▸ 有位有三個兒子，分別是六歲、八歲和十歲的媽媽告訴我：「我的兒子完全獨力負責擺好餐具，準備開飯，飯後會把碗盤餐具收進洗碗機，洗好之後會收好。我們將餐具排列在他們拿得到的地方。每人一週兩次在固定的日子負責桌邊服務，星期天則輪到爸爸。

我經常得克制自己，因為如果我自己動手的話，一切會進行得更快。剛開始他們也經常試著逃避。現在已經不會討價還價了，一切都很順利。」

另一個例子是，有位單親爸爸得一邊工作，一邊養育兩個孩子（九歲和十一歲）。他找到以下這個解決辦法：

▸▸ 我們每週一次，全家一起坐下來討論，訂出一張家事表，就像在外合租公寓一樣，把誰負責哪些家事寫下來。這張表會貼在廚房。只有當大家都遵守約定時，才能順利過活，否則大家必須一同承擔後果。孩子嘗過幾次苦果，所以現在他們大部分都會遵守。

大家一起來

如果不只自己的家庭，而是整個社會都一起來做的話，儀式會特別容易實施。有位瑞典媽媽告訴我一個瑞典的習慣，便是個很好的例子：

▸▸ 在我們家裡，孩子一整個星期都得不到任何糖果，商店或親戚都不會想到給他們糖果，在超市的收銀台邊也找不到任何糖果。不過孩子會很高興星期六的到來，因為那一天有「星期六零食袋」。只有星期六這一天，是可以吃滿滿一整袋零食。星期五下午商店裡會出現包裝好的一袋袋零食袋，到了星期天又全部不見，連帶零食這個話題也一併消失，一直要等到下個星期六才會出現，所以爭論零食這個話題是多餘的。幾乎所有瑞典家庭都遵守這個習慣，牙醫師也很高興的發現：幾乎沒有孩子蛀牙！

留時間付出關懷

你愈是自願多多關注孩子，孩子就愈不需要爭取你的關注。孩子愈是難搞，那麼當他很乖巧時，你愈要注意，更重要的是，讓孩子感受到你注意到了。當你家的小頑皮竟然專心玩樂高積木時，你可以坐在一邊欣賞；當他心情特別好而不是特別壞時，可以把他抱起來，和他依偎在一起。「真高興有你！」這個訊息對孩子非常重要，而且要在和諧平靜的時刻表達出來，才是發自內心。一個小手勢、一個親吻、一個慈愛的眼神，或突然來個擁抱，常常和一句讚美一樣有效。

無論孩子行為如何，留時間付出關懷仍是必要的。這是送給孩子一個珍貴的禮物。

實施一種儀式

選定每天最好的時段，為孩子付出一次時間和關懷，不論只有十分鐘，或長達一小時皆可，依你的忙碌狀況及孩子多寡而定。比時間的長短更重要的，是規律性。所以很多家長都把這段時間歸納入睡前儀式裡。請儘量每天給孩子十、三十或六十分鐘。要知道，儀式只容許少數例外，只有在極少數例外情況下，才能破例取消關懷孩子的時間。

讓孩子決定

這段時間內完全以孩子的需求和願望為依歸。向孩子解釋說：「現在你是老闆：你來決定，我來配合。」孩子可以挑選在這段共同時間裡要做些什麼：不管是陪他看書、玩耍、說貼心話，或只是看著他玩。要看哪一本書、玩哪種遊戲、談些什麼，全部由孩子決定。當然，一開始就不要把看電視和大聲喧鬧納入允許範圍。

肯定和鼓勵孩子

只要有機會，就請你這麼做。絕對禁止說教、辱罵和挑剔！傾聽孩子說話，盡你所能讓孩子有美好的感受。

想像一下，若有人每天都送你一個禮物：傾聽你說話、深入了解你的需求、覺得你的一切都很棒——這不是內心的靈藥嗎？透過規律和自發性的關懷，可以讓孩子覺得不必再為了爭取注意而反抗，並且贏得真正的自信。

如果孩子一天可以當一次「老闆」的話，在其他時間會比較容易接受規矩和界限。

重點整理

☑ 沒有衝突的教養是不可能的

有時父母必須讓孩子做一些他們不願意做的事。在這過程中，孩子嘗試反抗是可以理解的。

☑ 孩子認為異常的行為常常是值得的

孩子常在他們行為不當時，偏偏能得到更多注意，甚至能藉此貫徹他們的意志，因此他們沒有理由改變行為。

☑ 爭取注意的爭鬥是無止境的惡性循環

孩子做出異常的行為，若你的反應是注意他，那麼他就會學到：「我的行為會得到鼓勵」，因此又做出異常的行為；而你的反應是愈來愈氣惱，孩子便愈來愈得不到你自發性的關懷。正因如此，讓他學到：「必須藉由異常的行為來爭取注意，而我現在也知道該怎麼做。」

☑ 讓爭取注意的反抗變成多餘

不讓孩子從不當的行為得到任何好處。傾聽他說話、使用「我……」的訊息、賦予他更多責任、實施儀式、每天規劃出一段固定的時間來關懷孩子。

「我們到底做錯了什麼？」
——父母最常犯的錯

父母的反應不明確、不肯定

如果前面提到的對策你全都派上用場，那麼為爭取大人注意的反抗，對孩子而言根本就是多餘的。儘管如此，他還是可能不願接受你訂定的規矩和界限。很多家長覺得，孩子根本沒有認真看待這些規矩和界限。這一點該如何解釋呢？

有位四歲的小病人在媽媽陪伴下，來到我的門診，他一下就講到重點。「不管我媽媽說什麼，」他說：「反正她都不會做，她只是說說而已。可是我的保母都是說真的。」

孩子能清楚感受到大人是否「說真的」。當我們的反應是不明確和不肯定時，孩子就不會尊敬我們，甚至連聽都不聽。問題是，父母常常做出不明確、不肯定的反應，這麼一來，反而更會刺激起孩子去爭取大人的注意。大部分的父母雖然看出他們的方法不怎麼有效，卻阻止不了他們一再重蹈覆轍，只一廂情願的認為：「總有一天孩子會懂的。」如果試過一百次都還不成功，那多叫人灰心呀！

為了能從錯誤中學習，父母必須先知道並記住哪些行為可能是錯誤的。因此我想先說明父母最常犯的錯誤，也請讀者注意自己是否也犯了這些錯。

為什麼孩子不仔細聆聽？為什麼父母已經竭盡所能，孩子依然繼續做出不當的行為？下列幾種父母的反應不但無濟於事，反而會鼓勵孩子繼續舉止乖張。若你是正常的父母，會覺得其中有幾種似曾相識。

責備

許多家長很喜歡責備。孩子的不當行為：「怎麼還沒整理你的房間！」「真是的，怎麼又惹妹妹生氣了！」「老是待在電視機前面！」「整天含著奶嘴到處跑！」

父母責備完之後，還會補上幾句損人的話，如「你這樣真的很壞」、「太離譜了」、「你真叫人受不了」。總之，父母的意思就是：「你一直還沒把我叫你做的事做好！」或是「你根本沒有仔細聽我的話。」

你也曾這樣嗎？孩子聽完這些責備後，會立刻改變他的行為嗎？你只不過對孩子說出他正在做的事，然而這一點通常他自己心知肚明，所以讓孩子明白父母不喜歡他的行為，是一點用處也沒有。對孩子來說，父母的這些責備只是「發牢騷」。他從中得到的結論是：「他不喜歡我，所以我必須爭取他的注意，繼續這麼做。」當責備還另外包含貶抑時，特別會這樣。

責備永遠達不到糾正行為的效果，
因此別懷疑，趕快拋棄責備吧！

你常問孩子「為什麼」嗎？

父母總是一再問孩子，他們為什麼會做出不當的行為：「為什麼不整理房間？」「為什麼一直惹妹妹生氣？」「為什麼一直待在電視機前面？」「為什麼咬那個可憐的小男生？」「為什麼不聽我的話？」簡言之，「為什麼你不做我叫你做的事？」

這些問題也常加上損人的話，像是：「這真的是最後一次嘍！」或「你真叫人受不了！」

你曾從孩子口中聽見過合理的答案嗎？孩子通常會回答：「沒為什麼！」或「我不知道」、「因為我要」。這對你有幫助嗎？有些父母甚至會得到像「媽媽你很煩！」這種傲慢的答案，或者孩子根本忽視你的問題。你很清楚，你的問題不可能開啟一段有成果的對話，或刺激孩子去思考。我們做父母的根本不期待會得到一個「好的」答案，為什麼我們還是一直問「為什麼……」？

我相信，「為什麼……」問題可以表達出兩件事：第一是我們生氣，第二是我們無助。兩者都適合讓孩子爭取注意的反抗行為持續下去。孩子因為我們生氣而覺得被否定，因為我們無助而讓他占了上風。就算我們不問「你為什麼這麼做？」也可能會問：「我該如何處置你？我跟你沒完沒了。」要孩子回答我們這種問題，不是要求太多了嗎？

問「為什麼……」是無效的，所以是多餘的。

請求和乞求

你偶爾也會懇求孩子改變他的行為嗎？「拜託啦，乖一點，把房間整理一下！」「拜託對妹妹好一點。」「請你看在我的份上，關掉電視好嗎？」「你是媽咪的小寶貝呀！拜託現在不要再哭了！」有時候父母沮喪到哭著哀求孩子：「拜託照我的話去做！」

面對客氣的要求時，孩子毫無反駁的餘地。然而面對真正的請求時，孩子可以選擇要接受或不接受。所以若真的要孩子做什麼的話，是不太適合用請求的。

你和孩子正好發生衝突，而孩子的行為讓人完全不能接受嗎？這時要看孩子是否認真看待你，並且感受到你是說真的。一句不肯定的「拜託、拜託」只會讓你在孩子面前顯得卑微，只能仰賴孩子的憐憫和同情。孩子也可以把請求理解成：「唉呀，好像也不是那麼重要嘛。如果我不要，也可以不管它。」

你曾經哭著哀求孩子修正自己的行為嗎？

▸▸ 我兒子曾經有段時間很難搞，我陪他坐在地上，哭著說：

「我好擔心你。過去這段時間你好難帶。我真的很努力，可是我再也想不出什麼辦法了。拜託你：重新表現出你好的一面！我知道你也有好的一面！」

這麼說發揮了效用，我八歲的兒子突然修正了自己的行為。我將我的請求放入多個「我……」的訊息裡，這一定加強了它的效果。

偶爾表現出我們的無助與傷心，絕對能讓孩子印象深刻，並讓孩子開始改變。不過這個方法只能在萬不得已時才拿來用。想像一下，若每星期或甚至每天你都哭著哀求孩子，他怎麼還會把你當一回事呢？最多也只會同情你而已。他在你身邊又如何有安全感呢？

孩子可以遵從你的請求，也可以不。
若果真如此，請求就比較不適用。

孩子沒有遵從要求

假設你一度或數度要求孩子去做某些事情，或不要做某些事情，但他對此毫無反應，接下來會發生什麼事？什麼事都沒有！你的要求石沉大海。以下舉幾個場景為例，你覺得似曾相識嗎？

- 媽媽：「娜婷，把房間整理一下！這裡面看起來很恐怖！」

  娜婷不為所動的繼續玩，沒有整理房間。

  媽媽（五分鐘後又進房間來）：「娜婷，你該整理房間！」

  娜婷：「好啦，等一下。」（她繼續玩，沒有整理房間。）

- 爸爸：「馬提亞斯，把電視關掉，去做功課！」

  馬提亞斯：「好啦，馬上去。」（繼續看電視。）

  爸爸（十分鐘後語帶責備的說）：「我不是跟你說，把電視關掉！你從來都不聽我的話！」

  馬提亞斯：「你總是有得嘮叨！」（繼續看電視。）

- 媽媽：「貝翠絲，馬上把玩具車還給別人！那不是你的！」

  （貝翠絲邊吼，邊極盡全力緊緊抓住玩具車。）

媽媽：「你真是個可惡的小傢伙！」

（貝翠絲留下玩具車。）

這些場景的過程都相同：父母給孩子下達明確的指示，但是孩子沒有聽從指示，而父母就此不再過問，沒有貫徹執行他們的要求。從這裡孩子學到什麼？「父母要求我做的事情並不重要，對他們而言我做或不做都無所謂。」

孩子沒有遵從的要求不只無效，而且有害，會使孩子不認真看待你，也不聽你的話。

說到卻沒做到的「如果～就～」

父母經常在孩子不肯聽話時，宣布不聽話的後果：「如果現在不馬上整理的話，今天晚上就不准你看電視。」「立刻停止惹你妹妹生氣！否則你就到房間去！」「把該死的奶嘴從嘴裡拿出來，不然我就把它拿走！」「如果不馬上去做功課，你就要倒楣了！」

問題是，事實上後來什麼都沒有發生。其實我們只是想藉這句「如果……就……」強調我們的要求。我們暗自希望，宣布這些後果就會達到效果，不必真正採取行動。說真的，你成功過嗎？

根據我的經驗，這類「空洞的威脅」大部分根本無效。要把哭鬧的五歲小男生拖進他房裡，要費好大的力氣。要忍受小孩哭鬧不休，不如塞個奶嘴給他，讓他立刻安靜下來。當一個十歲的小女生一直還沒做好功課時，到底該如何處置她？我們之前可仔細想過？

這些問題我們大概根本沒有好好想過。基本上我們大家都非常清楚，說到卻沒有做到，後果將是孩子不再認真看待我們的要求。如果經常使用這種方法，更是教小孩不必再聽我們的話。

我們的行為有如向老闆要求加薪的職員，要求完後還補上一句：「如果不給我加薪，我就辭職！」他希望這樣說可以強調他的要求，實際上他是絕對不會辭職的。但老闆卻回答說：「好吧，那你就辭職吧！」這時職員只能呆立在那裡。若他繼續留在這家公司，就是嚴重傷害了自己的尊嚴。

我們或許可以決定，是否要留在「公司」裡，但家庭可不像工作可以隨便更換。雖然每個人都明白這個方法的缺點，父母卻常用這一招。在我們想清楚我們宣布的後果有何意義之前，早已脫口說出一句：「如果……就……」了！

有時候，父母的威脅多麼荒謬，常常一眼就可看出：「如果現在不安靜下來，就再也不准邀請任何人來玩！」「如果不把這個吃完，接下來三天什麼都沒得吃！」

大部分的父母都知道，這類沒有貫徹到底的做法，是達不到任何效果的。儘管如此，他們還是一再掉進他們自掘的陷阱裡。關於這一點有個小故事：

▸▸ 米夏四歲開始上幼兒園。他是個聰明伶俐的小男孩，跟同齡孩子比，算是相當聰明。令他父母意外的是，他已經連續胡鬧了好幾個星期。米夏每天早上都又哭又鬧，因為他不肯去幼兒園。

有一天米夏的爸爸實在受不了，終於生氣的說：「如果你再這樣胡鬧，我們也可以替你註銷登記，你就不必再上學，更何況學費那麼貴！」米夏聽了，臉上表情一變，欣喜的看著爸爸說：「哦！耶！」米夏爸爸沒料到會這樣，只好迅速換了個話題。

孩子從這類經驗學到：「爸媽說的話根本沒有意義嘛！」父母的警告左耳進右耳出，總有一天孩子根本不再注意聽。

說到沒做到是很嚴重的。
請注意這種誘惑，及時阻止自己這麼做！

忽視

這有兩種可能：你忽視孩子的不當行為，或是把孩子當做空氣；第二種情況下，你忽視的是孩子整個人，而不只是他的行為。

不去注意孩子的行為，有時是恰當的做法。像是吸吮拇指這類習慣、偶爾使用罵人的話、零星的鬧鬧彆扭等，這些情形只有當父母注意到時，才會變成問題。相反的，若這些行為根本沒有被注意到，那麼孩子通常會自動停止做這些事。因為孩子想要藉此成為注目焦點的目的，最終並沒有達成。

若是特別不當的行為，事情就迥然不同。

想像一下：你在餵兩歲的孩子吃飯，他不斷的把菠菜吐在你臉上，最後還故意把整瓶菠菜泥往牆壁上扔；或者你六歲的孩子只要一有事不合他的意，就踢你的小腿；或者你九歲大的兒子每天送你幾句罵人的話，像是「蠢女人」和「笨女人」這些字眼。如果你對所有這些事完全沒反應，而是繼續很客氣、很「正常」的對待孩子，那麼他對你會有什麼想法呢？他大概會想：「不管我做什麼，她顯然都無所謂，所以我可以為所欲為。」於是孩子便不再敬重你。

讓孩子把自己當做「廢物」對待的人，對孩子付出的「寬容」所收到的回報不是感激，而是鄙視。孩子會跟很多大人一樣，犯相同的思考錯誤。他會以為：「任人糟蹋的人是沒什麼價值的，他大概不值得受到別種待遇。」

忽視極度惡劣的行為，會有很嚴重的後果，致使爸爸媽媽總有氣炸的一天。忽視問題到最後，會突然轉變成父母失控、勃然大怒，或做出過度嚴厲的懲罰。

「忽視」讓我想起學生時代的事。

大多數的人，可能都遇過一向人很好的老師。我們在他上課時可以嚼口香糖、看漫畫、打毛線、聊天、課堂上做習題時交換習作本，對這些他從來不置一詞。既然他對我們的惡劣行徑視而不見，我們就變得愈來愈大膽，幾乎沒有人在上他的課，我們完全不把他放在眼裡。他偶爾會突然發狂並對我們大吼大叫，卻使得他在我們眼裡變得更加可笑。若他試著以特別差的分數來報復，我們只有更加鄙視他。

幾個典型的場景

- 孩子早該上床睡覺，可是他一再到客廳找你。你決定，不管他做什麼都不再注意他。
- 吃晚飯時你想和先生商量一些重要的事，孩子卻一直插嘴。

你裝作好像孩子沒有一塊兒坐在餐桌邊似的，繼續講話。

- 你因為功課的事和孩子吵架。當他又拿著功課來找你、想問你問題時，你根本不再理會。

這裡父母忽視的不只是孩子的行為，而是把孩子當做空氣，裝作一副好像孩子根本不在那裡似的，這個方法有時候也會被稱為「把愛收回」。在特殊情況下，父母可能一整天都不跟孩子交談，希望孩子終有「恢復理智」的時候。

這種態度會有什麼影響？請你設身處地為孩子想一想。有人曾用忽視來懲罰過你嗎？那是什麼感覺？我相信，忽視一個人必定帶有某種敵意。「對我而言你是空氣」這個訊息，比「我不喜歡你」更嚴重。

基於這個理由，忽視幾乎完全無法讓孩子有所「體認」，並進而修正他的行為舉止。相反的，忽視一個人，必定會挑起一場爭取注意的反抗。孩子不斷加強他離譜的行為，直到父母必須有所回應為止。如果孩子挑釁得夠久的話，父母的反應可能會特別激烈，且帶有敵意。

忽視會挑起孩子的反抗，以爭取注意。

這裡所提到的「父母錯誤」，你也犯過其中幾項嗎？你沒有理由為此自責，或感到良心不安。你大概對自己不明確、不肯定的反應也感覺不太好。儘管已經下定決心，但錯誤還是一再發生。

我自己在與我三個小孩相處時，也常犯典型的錯誤。有時候我無法及時煞住車而繼續為之，雖然明知道那是錯的。

千萬別打算把所有的事都做對。完美主義必然會製造失敗和罪惡感，進而讓人不安和猶豫不決，對任何人都沒有幫助。更明智的做法是，小心不要犯錯，接受錯誤，從中學到教訓。

父母出現敵視反應

敵視反應傳達了一個非常清晰的訊息給孩子：「我不喜歡

你最常犯的父母錯誤是什麼？

你的目標是：儘量讓總分低於 5。

0	1	2	3	責備孩子
0	1	2	3	提出「為什麼……」問題
0	1	2	3	請求和哀求孩子
0	1	2	3	提出要求後，孩子沒有遵從
0	1	2	3	宣布「如果……就……」之後沒有做到
0	1	2	3	當孩子的行為失當時，你選擇忽視

總計：＿＿＿＿＿

0 從不或幾乎從不　1 偶爾　2 經常　3 非常頻繁

你！」其實我們根本不想傳遞這項訊息，更不是刻意這麼做，但它就這樣發生了。之前我們多半非常激動，完全控制不住自己的行為。之後大多數都非常抱歉。基本上我們非常清楚：責備、威脅、嚴懲和體罰不會給孩子帶來正面的影響，我們的所作所為是不好的示範，只會讓親子關係變得更加沉重。

指責和辱罵

想像一下，你在指責孩子的缺點：「真是笨手笨腳！所有東西都被你弄壞！」「笨到家了！」「你這個卑鄙的說謊者！」或者更概括的說：「你真令人受不了！」「我再也受不了你了！」「你很討厭！」「你會害我心臟病發！」

這類指責不是對孩子的行為提出合理的批評，反而會讓他覺得，你在否定和鄙視他這個人。

這會激起孩子什麼反應？絕對不是修正行為的決心，反而讓他更努力爭取你注意。此外還會讓孩子產生負面的感受，有些孩子會產生強烈的罪惡感，或是報復心。這類辱罵就像一記大槌，迅速又徹底破壞孩子的自信。如果再加上大吼大叫的話，後果會更嚴重。我確信：咆哮是無法糾正孩子的行為的。

有些孩子也許會被父母的咆哮嚇阻或驚嚇到，但對其他孩子而言，只不過是親子角力中的家常便飯：「我這個小孩有本事讓高大強壯的爸爸大發雷霆。除了我，沒有任何人辦得到，他已經完全失控！這等事我竟然能做到，我實在太厲害了！」

又有一些孩子把父母的嘶吼和指責當做耳邊風，緊閉耳朵，不再聆聽，以這方法來保護自己。

我們自己非常清楚，為什麼會對孩子咆哮：我們是在發洩自己的不愉快和憤怒。我們把孩子當做出氣筒。如果我們肯承認這一點的話，已經算是向前邁進一大步。

指責和辱罵會破壞孩子的自信，
如果再加上咆哮的話，更是如此。

威脅和懲罰

另一種帶有敵意的反應方式是：當孩子不聽話時，便警告他接下來有非常嚴重的後果：「如果現在不整理房間，就整個禮拜都不准離開房間一步！」「如果再惹妹妹生氣，就痛打你一頓！」「如果再不改進，就送你去寄宿學校！」

或者你說的是嚴重但又不切實際的後果：「如果再不停止胡鬧，就再也不帶你和我們一起去度假！」「如果再繼續和你的朋友吵架，就再也不准邀請別人來玩！」

這些威脅不是說真的，全都只是說說罷了，不會真的照做，結果就是孩子不再注意聽你講話。他當然聽得出那充滿敵意的弦外之音——他感到被排斥，負面感受油然而生。

當然更不恰當的是，把嚇唬孩子的嚴重後果化成實際的行動。這樣會驚嚇和屈辱孩子，會引起恐懼和報復心。這樣做目的是在「矮化」孩子，好讓大人在孩子眼裡顯得更強大有力。

我們有必要這樣嗎？當我們想不出更有用的方法時，處罰不正是我們無助的表現嗎？處罰孩子時，不是常有種不好的感覺襲上我們自己的心頭嗎？

嚴厲的處罰有兩種效果。孩子可能會印象很深刻，會想免除其他的處罰，於是改變他的行為。他為什麼這麼做？是出於害怕，而不是出於理解。第二種可能是：孩子沒那麼容易被「矮化」。他看穿了這個把戲，看出你的無助，覺得自己比較占優勢。表面上他無所謂的接受了處罰，但卻利用每個機會，在與你的權力鬥爭中證明自己。他企圖報復。

威脅與嚴懲會引起恐懼與報復。

體罰

你也曾經「動手動腳」嗎？曾在孩子的臉頰或身體上看見自己的掌印嗎？抓住過孩子搖晃他嗎？可曾把孩子痛打一頓？之後有什麼感覺？

今天偶爾還會聽見像「痛打一頓又不會造成什麼傷害！」「我也是被打大的，還不是有不錯的成就！」「不肯聽話的人，就得親自感受一下！」這類的話。

我相信且希望，本書大多數的讀者堅持在教養中拒絕使用體罰。不過，我也不排除很多人已經有過一次、或者多次無法控制自己的行為，連自己都驚愕不已的狠狠打過孩子。我們當中幾乎每個人都曾經打過孩子，不管是有意或無意的。

體罰的暴力行為，對孩子會有什麼影響是很容易想像的。想像一下，被一位你所愛的，在體型上勝過你的人打，那是什麼感覺？孩子也會有類似的感覺：受到極深的傷害和屈辱。

面對挨打的反應，就像受到其他處罰一樣，不是擔驚受怕，就是麻木遲鈍。常挨打的小孩，長期下來對痛楚似乎變得麻木，也會企圖報復，跟受父母敵視對待後的反應類似。別忘了還有模仿效應：孩子會把從我們這裡學到的東西繼續傳下去。

打在孩子身上的每一拳，也打擊了親子關係、信任、安全感、被愛、被呵護。在面對一個威嚇的抬起手，看來故意把痛苦加諸在自己身上的大人時，美好的親子情感如何能繼續存在？

如果一旦發生了呢？如果你真的「動手動腳」了呢？其實連我自己也偶爾會這樣，但立刻或是稍後，我會請孩子原諒。我會對孩子承認：「當時太激動，所以犯了錯。」我答應孩子會盡我所能，不讓同樣的事再度發生。

當然我必須承認，孩子有權利不立刻原諒和遺忘這件事，他們可以再生一會兒我的氣。若是我做出其他帶著敵意的反應，之後也會請孩子原諒。不過，這類意外不可以太常發生，否則孩子不會再相信大人是真心請求原諒。

你的孩子偶爾也會被「打手心」，或是常常被「打屁股」

嗎？這些「教養措施」絕對還沒有絕跡。我認為它們並不適當，而且很有問題，因為「打屁股」很容易轉變成痛打一頓。

體罰會帶來可怕的影響，
完全不適合做為教育方法。

罪惡感無濟於事

所有我們做出的敵視反應，包括威脅和辱罵、嚴懲與體罰，都有一些共通點：是我們無助的表現，對自己孩子的「報復」。因為我們的努力到目前為止，似乎全都徒勞無功，而我們藉這些帶著敵意的反應，表示我們的不愉快和憤怒。換句話說，我們是在「發洩怒氣」。身為三個孩子的母親，在此我特別要說，包括我自己在內也會這樣。

所有父母都會犯錯，因為父母都有人性的弱點。大部分會因為他們做出敵視反應而產生罪惡感，可是這樣毫無助益。唯一有效的辦法是：保持頭腦清醒，防止我們的教養方式失控。

重點整理

☑ 父母不應表現出不明確、不肯定的反應

請你將來不要再：

- 責備
- 問「為什麼……」的問題
- 請求和哀求
- 要求後沒有遵從
- 宣布「如果……就……」之後，卻沒有做到
- 忽視

這些做法不是在教導孩子規矩，反而讓孩子不聽話，不把你當一回事。只會更激起孩子為了爭取注意而爭鬥。

☑ 敵視反應讓親子關係更沉重

請你將來不要再：

- 指責和辱罵
- 威脅和嚴懲
- 做出體罰的暴力行為

孩子會從你身上學會這些反應，而且必然會跟著模仿。這類敵視反應也同時破壞了孩子的自信，並激起他的報復心。

設定界限的計畫

本章你將讀到

如何與為何應該一直注意孩子的優點？

如何確立家規？

如何跟孩子說清楚講明白？

如何說到做到？

如何與孩子訂下約定？

設定界限的先決條件

前一章詳細討論過所有父母不該做的事。在閱讀時，你一定多次問道：「我應該做什麼來代替呢？我總得有所行動吧！」過去幾年，各式親職訓練計畫不斷發展，我採用了其中一些特別有效，又容易應用的部分，做出下面這張設定界限的計畫表。這是一張階段計畫表，請逐步進行，如果第一階段無效，就進入下一個階段。

這張圖表讓你明白設定界限的內容及其架構，本章的第二段會有更詳細的說明。

下頁這張表的好處是：隨時知道下一步要做什麼，但只有在特定條件下才會有效，接下來我會一一說明。

條件一：注意優點

還記得要如何有效對付孩子爭取注意的反抗嗎？透過傾聽、傳達「我……」訊息、給孩子更多責任、留時間付出關懷

成功設定界限的階段計畫表

等等，藉由這些方法，你會發現衝突較少發生，孩子更自願與你合作，更少跟你「鬥」。儘管如此，還是可能出現束手無策的情況：

你可能已經深入了解孩子的感受（傾聽）、說出你自己的需求（「我……」訊息）、提出好的論點，而孩子依然為所欲為。

如果每天都在爭權和討價還價，卻沒有任何改變，那麼父母就需要工具，以設定界限。

但是達到有效設定界限的條件是，孩子要覺得被你接納和被你喜愛。對孩子而言，不愉快的要求和必要的限制很沉重，而且設定界限也會讓孩子經常覺得受到批評。你慈愛的關懷對和諧的親子關係，乃是必要的平衡。所以在孩子學習規矩的同時，絕對要注意孩子的優點，一樣都不可以漏掉！

要格外注意孩子的正面行為。

孩子該從何知道，你是為他好？知道你喜歡他這個樣子？知道你愛他？知道你信任他？知道你需要他？

對孩子而言，這些「理所當然之事」是絕對必要的。你表現得夠清楚讓孩子知道嗎？他需要你的回應——不是只有偶爾，而是持續。有各式各樣做法，可以對孩子付出正面的關懷。

接受孩子

你自己可以犯錯，孩子也可以。當他行為不當時，你可以否定他的行為、讓他承擔後果，但永遠不要批判孩子的人格。孩子是什麼樣子，就接受他這個樣子。右頁表格中有幾個例子。

鼓勵孩子

鼓勵孩子，讓孩子看見你有能力信任他，尤其是面對年紀較小、正不斷嘗試新事物的孩子。對父母來說，這是個絕佳的機會，讓孩子知道：「我相信你辦得到。我和你一起感到高興！」可惜的是，我們放棄了很多這樣的機會，甚至經常使孩子洩氣，而不是為他們打氣。

在幼兒園或學校也能經常鼓勵孩子。舉個例子：

▶▶ 瑪麗亞（八歲）很喜歡上學，而且表現得很好，只有數學有點問題。她的成績單上寫著：「瑪麗亞常常不專心，她必須繼續努力練習九九乘法表。」

老師其實可以用勉勵的語氣來寫：「瑪麗亞對很多事感興

用接受取代批判

孩子的不當行為	父母的反應：批判	父母的反應：接受
卡洛（五歲）和妹妹和睦共處的玩了十分鐘。突然間他從她手裡搶過一部小汽車，並用力把她推倒在地板上。	媽媽抓住卡洛的肩膀，罵他：「你真叫人受不了！現在又把妹妹推倒在地板上！我真是不能信任你！」	媽媽從卡洛手裡拿走小汽車。她說：「你知道這樣是不對的。你剛剛很和睦的跟妹妹玩。我們再重新試一次。」
露意莎（八歲）被逮到在商店裡行竊。她想「順手牽羊」一個玩具。回家以後她知道自己錯了，一邊哭一邊責罵自己。	「我真沒想到，我女兒竟然是個小偷！誰知道你還會做出什麼糟糕的事來！」	「這件事我無法接受。我們一起來想想，你該為此承擔什麼後果。儘管如此，你並不是個壞孩子。你可以從這次的錯誤中得到教訓。」
貝諾（七歲）在家時不肯好好練習，因此聽寫錯了十題。	「活該！像你這麼懶惰，難怪會錯這麼多、有這種結果！」	「我真為你感到難過。你可以做得更好！下一次我們要及時練習。」

打氣取代洩氣

孩子的行為	父母的反應：讓孩子洩氣	父母的反應：給孩子打氣
拉斯（兩歲）試著穿上他的拖鞋。最後他辦到了，不過左右腳穿反了。他得意的搖搖擺擺走到媽媽那兒。	媽媽立刻脫下他的拖鞋。她說：「你穿反了，寶貝。」或是笑道：「你怎麼穿的？鴨子腳！全穿錯了！」	媽媽讓鞋子保留原來的樣子：「你靠自己穿上拖鞋！你已經會了！」或是：「你自己做了一雙鴨子腳！好棒！我們來跳鴨子舞！」
克麗斯婷（三歲）和媽媽去遊戲區。她第一次爬上一座很高的爬杆。	媽媽把她抱下來。她說：「這個你還不會。這太危險了，你還太小。」	媽媽站在爬杆旁邊，好能隨時接住克麗斯婷，但卻什麼都沒說。當克麗斯婷爬到上面時，媽媽喊道：「好棒！你辦到了！現在你也可以自己下來。你做得到的！」
克里斯丁（五歲）從儲藏室拿出掃把，在沒有人協助下，來回掃著地上的紙屑。	媽媽拿走克里斯丁手裡的掃把：「掃把不是這樣拿！你就是笨手笨腳，還把紙屑弄得整個廚房都是！」	媽媽摸摸克里斯丁的頭。她看著他說：「我真高興你幫我做家事。真不知道，沒有你我該怎麼辦！」
安德莉雅（六歲）剛上小學不久。她費了一番功夫寫了一張紙條，她驕傲的拿給爸爸看：「巴巴我艾你。」	爸爸說：「喔，你寫了封信給我！可是你看，這裡面好多錯字！」他拿起一枝筆來改正那些錯字。	爸爸讀著那封信，感動的看著女兒說：「你第一次寫一封真正的信給我。我太高興了！這封信我會永遠保存的！」他親了安德莉雅一下說：「我也愛你！」

趣，而且經常熱心參與。她背九九乘法進步很多，如果繼續練習，不久一定會很熟練。」

父母所有令人氣餒的反應，都有一個共通點：強調了孩子的錯誤，而孩子的成就和一番好意，卻沒有得到重視。在鼓勵孩子時要強調的不是錯誤，而是進步和那份好意。父母（及老師）要表現出他們正面的感受與喜悅，才能拉近與孩子的距離。孩子覺得被接納，就會愈來愈相信自己的能力。

列舉優點

你的鼓勵、你的讚美、你充滿關愛的手勢都會支持著孩子，並形成一種必要的平衡，把所有你對孩子的要求與限制所帶來的不愉快，統統都抵銷掉。

你在孩子身上看到的優點，要明白講出來：「真棒，你做得很好！」「你的圖畫得很棒！」「這麼難的聽寫，而你幾乎全對！你真的可以為此自豪！」「你蓋了這麼高的塔！太棒了！」「你玩了整整一小時的積木。我真高興，你可以自己一個人玩得這麼好！」「你溜冰溜得實在太棒了，我永遠沒辦法溜得那麼好！」「好驚訝喔：你靠自己把衣服穿好了！」「你已經擺好餐桌了！好棒，你對我們那麼好。」

孩子需要這類回應，幾乎就像需要空氣一樣。孩子必須經常聽見這樣的句子，好讓他覺得自己很不錯。父母說的話，會繼續縈繞在孩子的腦海，變成他的一種「內在聲音」。

父母所給予孩子的讚美和肯定，是沒有人能搶得走的，藉此可以讓孩子建立起健全的自信。這一點非常重要，因為我們和孩子不同，我們知道沒有別人的讚美和肯定，也得過下去。

不過讚美也要學習：請多注意下面的指示，你的話語便會發揮特別的效果。

清楚對孩子說出你喜歡他什麼優點

「你把你的房間整理得非常好，連書桌和書架都看起來那麼整齊！」「我真的很喜歡你畫的畫。你選的顏色真漂亮，尤其天空畫得特別好。」「你已經把餐桌擺好了，配上餐巾紙和蠟燭真是好看極了。」

你喜歡孩子什麼，說得愈清楚愈好，這樣孩子會感受到你真的注意到他正面的行為。這樣的稱讚比總是只說：「很漂亮！」或「做得不錯！」更可信，才不至於顯得敷衍，或只是和大家一樣，例行性的讚美孩子。不然孩子便不會把你的讚美當真，反而會在你的話出口之前，仔細察言觀色。

就算是面對不怎麼愉快的事情，也可以挑出一件正面的小事來講。比方說，當你上小學的孩子寫完作業簿裡的一頁生字，而裡面正好有一行寫得不錯時，你就可以這麼說：「這一行真的特別整齊！」

如果孩子似乎沒什麼值得稱讚和肯定之處，那麼挑出幾件正面的小事並加以回應，就顯得更為重要：「我就是喜歡這樣！」要記得：對別的孩子不過是件微不足道的事，對你的孩子卻可能是一大進步，或很棒的成就。孩子最後整體的結果並不是那麼重要，應該多注意和強調他們每個小小的改進，以及他們朝正確方向所踏出的每一步。最好的做法是，專心觀察孩子的發展，而且不要拿他跟別的孩子不斷比較，尤其不要跟兄弟姊妹比較。

只有當你也注意到孩子的優點時，
才能教導孩子規矩和界限。

只說優點

我們常在讚美和鼓勵孩子的同時，會補上一小句話，使得一切又成泡影。就好像我們一手鼓勵孩子、建立孩子的自信，另一手卻已經拿起一把槌子，敲掉我們剛建立起來的東西。舉幾個例子：

「這一行你真的寫得很漂亮，但剩下的全都亂寫一通！」

「你整理得很整齊，平常這裡總是像個豬窩似的！」

「你們兩個居然和睦相處了五分鐘，這件事我會記在日曆上的！通常你們兩分鐘後就會打起來！」

「你今天專心順利的寫完功課，為什麼不能一直都這樣呢？」

「你踢球的樣子，真的是你們足球隊裡的王牌。要是學校功課有這一半好就好了！」

「今天你真準時回家。我已經跟你說過上千次了，現在終於有一次做到！」

很可惜，我們很容易脫口補上這類的話。我們讚美後就要畫上句點，必要時就住口，除了孩子的優點之外，不要再多說。

對孩子表現出你的美好感受

所謂的讚美，通常是有出現「你」這個字的一句話：「你很勇敢！」「這件事你做得真好！」「你把你的房間整理得很整齊！」

如果我們把讚美和一個「我……」的訊息結合，效果會更好：「我很感動！」「我以你為榮！」「我很高興！」

一句「普通的」讚美，讓孩子知道：「爸媽看到我做得很好。」一句帶有「我……」訊息的讚美，讓孩子看到：「我做的事顯然對爸爸媽媽很重要。我能喚起他們內心美好的感受，我們真的是一家人。」這樣的讚美能讓你們更親密。

你的感受，也可以完全不靠言詞來表達：如果你非常強烈的感受到自己和孩子之間的愛與親密感，小嬰兒會看見你眼裡散發的光彩。一個發自內心的擁抱、溫柔的眼神、微笑、充滿慈愛的撫摸，全都能直達孩子的內心，並給你回應。

你的小寶寶會對你微笑，小小孩會爬到你的膝上，兩隻小手繞在你的脖子上，上幼兒園的孩子會熱烈的給你親親。

我們的孩子能夠以各種不同的方式，
激起我們內心美好的感受。

如果我們睜大雙眼，注意到這良性的循環，並對孩子表現出我們良好的感受，一定能讓這正面的循環開始轉動。

條件二：確立家規

你是否考慮過，哪些規矩對你的家庭和孩子特別重要？只有確知目標，才能設定出合理的界限。請提出清晰明確、孩子能夠理解的家庭規矩，這樣孩子才能事先知道你的期望。當他違反某項規矩時，他自己就會察覺到，你也不必做出專斷的「命令」或禁令。設定界限對你來說，就代表著堅持遵守規矩。

請一一列舉出家裡的規矩。若是孩子開始違反某項家規，就要提醒他。問問孩子規矩是什麼，偶爾向他重述，這樣可以預防衝突和爭辯。

各位在第一章已經讀到有關選擇規矩的幾項要點，接下來，舉幾個如何擬定家規的例子。請記得：家規不是僵硬的，每個家庭稍有不同，並會隨著孩子的年齡或日常生活的改變而調整。

由你決定要確立哪些家規。

請同時注意到孩子的需求，以及你自己的需求。

睡覺

- 「講完睡前故事後，爸爸媽媽就會離開房間。你要待在房裡，安靜躺著。」

吃飯

- 「吃飯要在餐桌吃，有固定的吃飯時間，每個人都要來吃。我來決定端什麼菜上桌，你可以自己決定要吃多少。」
- 「吃飯時我們大家全都一起坐在餐桌邊，玩具和書不可以拿上桌，電視要關掉。」

整理

- 「一星期整理房間一次。」
- 「每天晚上，客廳的玩具全都要清理乾淨。」

- 「先把舊玩具收拾乾淨，才可以拿新的出來玩。」

與他人相處

- 「與別人要和睦相處。不許打人、搶別人玩具或拿東西丟人家。如果有妨礙到我們，可以用講的。」
- 「彼此講話要客氣，不可以罵人，也不可以尖叫。」

電視

- 「我來決定你可以看幾次、看多久的電視。我們一起決定，你可以看什麼節目。只有在我的允許下，你才可以看電視。」

幫忙做家事

- 「家裡每個人都要做家事，並由大家一起討論分配，或寫成一張家事輪值表。」（小孩也能幫忙，例如擺餐具或收拾餐桌。）

安全

- 「接近馬路時，你必須一直待在我身邊。」
- 「放學後立刻回家。離開我們居住的社區時，要告訴我一聲。我必須一直知道你人在哪裡。」

重點整理

只有滿足下列兩個條件時，才能設定有效的界限：

☑ 注意孩子的優點

要注意孩子的正面行為。即使你會批評他的不良行為，仍請接受孩子原本的個性。鼓勵他、不斷反覆清楚的告訴他，你喜歡他的哪些優點。

☑ 確立你的家庭規矩，並且一一列舉

孩子必須知道該遵守哪些規矩。要一一列舉你的家規，不論是關於睡覺、吃飯、整理、看電視或與他人相處等等。在確立家規時，要注意孩子的需求，但也要注意到你自己的需求。

三階段計畫

第一階段：說清楚講明白

你的孩子已經懂得遵守哪些規矩？在哪些範圍一直還有問題？哪些行為和違反哪些規矩最困擾你？一天內會屢次發生嗎？會讓一天過得不順利嗎？這些行為總是導致新的衝突嗎？

請心平氣和的回答這些問題，你接著就會明白，孩子應該首先學會哪些規矩。比較合理的做法是，先專注在一項行為上，並將設定界限的計畫內所有步驟過濾一遍，如此較能控制成效。

我們和孩子講話時，並沒有每次都「說清楚講明白」，時常語焉不詳，又愛問為什麼，或總是提出要求後沒有確實做到。有時我們又覺得，孩子是否真照我們所說的話去做，並沒有那麼重要；有時我們只是開開玩笑，但是我們應該讓孩子能分辨，我們什麼時候是說真的。我們和他們講話的方式，必須讓他們能夠注意聆聽我們講話，並把我們說的話當一回事。

下達明確的指示

接下來的表格將不清楚、間接的要求，跟清楚明確的指示兩相對照。這些不清不楚的、間接的要求，會讓你想起上一章所提到的父母最常犯的錯誤之一，亦即「責備」嗎？告訴孩子應該做什麼，比責備他做錯什麼要好。所以不只應該清楚明確說出你的要求，也要以正面的、肯定的說法表達。孩子對正面的話比較會用耳朵去聽，比方說，孩子可能會聽見大人說「小心跌倒」、「不要跑」、「不要尖叫」等這類字眼。但是，孩子的腦海裡，原本就儲存「跌倒」、「跑」、「尖叫」這些動作的特定想像與動作程序，一聽到父母講的這一刻，這些想像會自動活躍起來，即使還有「不要」這個詞在前面。孩子太過弱小，無法讓這些想像消失於無形，於是他們又跌倒、跑開、繼續尖叫。其實這些反應，可以說是你所喚起的！關於這一點，以下表格裡也有舉例說明。

像「要乖！」「要有規矩！」「保持整齊！」這些要求雖然也算正面的表達方式，但是不夠具體；甚至「整理你的房間」或「穿好衣服」，也太不精確。

孩子愈小，要求須愈明確。明確的指示只有用正面的話表達出來時，才有效果。關於這一點，下面表格裡也有幾個例子。

要隨時能找到正面的語詞表達，並非容易之事，要說出「你不應該……」這種話，是簡單多了。不過，請別放過任何試著說出正面指示的機會。

▶▶ 有位媽媽敘述說：「吃飯時，我總是為了孩子打翻牛奶，或是弄得到處都是污漬而生氣。我現在不說『不要滴得到處都是』或『小心，你的杯子馬上要打翻了！』而是說：「『孩子，讓牛奶留在杯子裡！』雖然剛開始這句話只會引起一陣大笑，可是現在真的比較好了！」

明確指示或客氣請求？

很多父母在給孩子明確指示時，會覺得這種方式有問題，他們的主要理由是：「我不願意到處指揮孩子。這種命令的口吻我不喜歡，此外我認為應該要加個『請』這個字！」

指示清楚、正面表達

不清楚的要求	清楚的指示
「又開電視！你會看到頭痛！」	「我要你把電視關掉！」
「你怎麼還沒把衣服穿好！」	「路卡斯，把襪子穿上！」
「這裡怎麼一團亂！」	「先把樂高積木放回箱子裡！」
「要告訴你幾遍，不要惹妹妹生氣！」	「馬上放開妹妹！」

負面的語詞表達	正面的語詞表達
「不要跌倒！」	「注意階梯！」
「不要跑到馬路上！」	「走在人行道上！」
「不要跑開！」	「待在我身邊！」
「不要所有東西都放著不管！」	「把東西收進櫃子裡！」
「不可以打人！」	「住手！過來！」
「不要大聲尖叫！」	「噓！小聲說話！」

請記住：這類明確的指示是非常情況才用的，是當你確定：「現在必須採取行動。孩子現在照我說的話去做是必要和明智的。」你絕對不該整天跟在孩子後面，用命令和指揮來虐待孩子。

大人也有很多情況必須仰賴另外一人的明確指示。想要學會某些事情，就得遵循老師的指導。請回想一下你上駕訓班的情形：教練一開始對每個動作都會給你一清二楚的指示，這時你期待他說「請」嗎？你應該會仰賴他，根據他的經驗給你下達正確的指示吧？或者想想負責開刀的醫師，她具備了做出必要決定的專業知識，在面對開刀房裡的其他同仁時，說「請」也不合適。間接且不明確的要求，甚至可能造成可怕的後果。其他同仁會遵照她的指示，因為他們相信她的能力，尊重她的專業知識，而且她依然能和同事有良好的伙伴關係。

和孩子相比，你不是也更有知識、更有經驗？孩子不也應該信任你的知識，尊重你的能力？當你偶爾以不帶「如果」和「但是」的口氣要求孩子，因為你確信有必要這麼做時，真的該受到指責嗎？孩子偶爾接受：「我照媽媽的話去做，因為她知道什麼對我是好的」會是個問題嗎？不必讓「請」這個字從你的語彙中消失。孩子若能學會分辨「請求」與「明確指示」兩者之間的差異，那會是一大收穫。

我們沒有人要回復到「無條件的服從」，那是以前人對孩子的要求。每個人都知道，這樣的教育會造成哪些可怕的影響。請各位謹慎為之：因為不合理的、專斷的、甚至危險的命令，也可能表達成清楚明確的指示；而清楚明確的指示也有可能遭到濫用，傷害到孩子（一如本書其他的訣竅和指示）。

為人父母者必須留意孩子的健康，
盡力避免孩子身體或心靈的傷害。

請好好思考：哪些規矩對你來說真的很重要？為什麼正巧是這些規矩？什麼時候你是說真的？沒有人能替你回答這些問題。你愈嚴肅思考這些問題，你的清楚指示就愈有說服力。

- 在說清楚講明白之前，要好好思考。
- 請給明確又一目了然的指示。
- 請用正面的、肯定的語詞表達。

控制聲調與肢體語言

和孩子說話時，不只說的話很重要。聲調和肢體語言，也能有效強調你什麼時候是說真的。

音調會唱歌

在要求孩子時，你的聲調跟你所選擇的詞語同等重要。輕聲細語、哭泣哀求的聲音，在孩子聽來根本不帶任何要求的口氣。相反的，如果我們對孩子大吼大叫的話，前面已經提過，這聽在孩子耳裡，或許他們會受到威嚇，或許只是當做「耳邊風」，或許也會模仿我們並且吼回來。無論如何他們會注意到：「啊哈，媽媽已經失控了！」

每位爸爸媽媽都曾控制不住自己的聲音，大聲喝斥過自己的孩子。面對自己的孩子時，失控的門檻好像特別低；對另一半講話時，也同樣經常口氣很差。

其實令人驚訝的是，我們偏偏最常對我們最愛的人嘶吼，面對陌生人時我們反而比較能控制自己，希望他們也這樣對待我們。我們知道，被別人吼有多不舒服，也知道經常對同事吼的人有多可笑，並從中汲取教訓。大部分的人還不只這樣：在別人面前，我們經常把不愉快的事往肚子裡吞，選擇禮貌性的沉默，而不公開說出我們的批評。

再怎麼有自制力的人，也會「發洩怒氣」，而且多半是發洩在自己家人身上。如果我們對孩子吼，就代表孩子有時承擔了我們一整天下來所累積的怒氣。

▸▸ 有一個媽媽擁有三個非常活潑的小孩，她也面臨到上述的問題。一天下來，她有好幾次會失去耐性，對著孩子大吼。整理家務、照顧孩子，有時候對她來說是種苛求。

即使家裡工作很多，這位媽媽卻四處擔任志工，還幫忙朋友整理布置新房子，因此家裡很多事情都停擺。她的理由是：「我沒有辦法說不，朋友不會諒解的，我不想做個不夠意思的人，況且別人也全都辦到了。至少我得做出樣子，讓一切看起來都在我掌握之中！」

她必須先學會偶爾表達出批評，並學會說不，偶爾要承認：「我事情太多了，我做不到。我必須先想到我自己的家人。」（亦即傳達出「我……」的訊息。）等她能夠做到這些，才可能比較有自制力、平靜的跟自己孩子講話。

大概沒有人有辦法在任何情況下，都不尖叫嘶吼。但當你覺得有些事情真的很重要時，請用更平靜、更堅定的聲音說話。只有當你控制住自己時，孩子才會認真看待你。

身體也在講話

不只你的聲音很重要，注視和撫摸孩子也很重要，能更進一步強調你所說的話。大家都得承認，這一點並不容易做到。很多孩子在事情變得「嚴重」時，會想要逃避，把頭扭開或閉上眼睛。你不能強迫孩子與你眼神接觸，但如果你很靠近他的話，即使他閉上眼睛，依然感受得到你的眼神。

當孩子用手指塞住耳朵或摀住耳朵時，該怎麼辦？可以撥下他的手握住，並和他講話，講多久就握多久。要記得：要做簡短明確的指示，而非冗長的談話。

當孩子不肯待在身邊，反而想跑開時該怎麼辦？如果你是認真的，這時絕不准讓孩子溜掉。如果他不願留在你身邊，那麼只有一個辦法：緊緊抓住孩子，力道保持溫柔，語氣要堅定有力，同時要注視著孩子，告訴他應該做什麼。

或許讀者現在充滿疑慮，搖搖頭反駁道：「先是要我隨時隨地指揮孩子，現在還要我緊緊抓住他？這和家暴只有一線之隔！我這是在利用我體型上的優勢呀！」

我也比較喜歡孩子自願留下來，注意聽大人講話。但是他要跑開的話，大人能怎麼辦？追在他後面，喊著說他應該做什麼、下達清楚明確的指示嗎？他會覺得好玩極了。難道最後你只得聳聳肩說：「好吧，那就算了！」便不再過問？這樣的話，孩子學到的是：「只要情況變得棘手，我只要跑開就好

用有幫助的姿勢，取代不合適的姿勢

不合適的姿勢	有幫助的姿勢
由上而下跟孩子講話。	蹲下來，讓眼睛能平視孩子。
從另一個房間呼喚孩子。	在對孩子開口講話之前，走到孩子身邊或附近。
避免或強迫眼神接觸。	若孩子不抗拒，則注視孩子的眼睛。
抓住孩子並用力搖晃他。食指在他鼻子前面來回揮舞著。	碰觸孩子，例如搭著他的肩膀。

了。」他會一再跑開，只有高興的時候才聽你說話。

你的肢體語言會讓你所說的話更有份量。如何把肢體語言應用得更有效果，可從上面的對照表看出來。

「壞掉的唱片」

「說清楚、講明白」是很有用的，但這樣做常常還不夠。如果你以平靜肯定的語氣，加上具有說服力的姿勢，給孩子下達一道清楚明確的指示，而孩子卻依然不為所動怎麼辦？或是他早已知道你要說什麼，開始討價還價，又該怎麼辦？如果你所傳達的「我……」訊息毫無效果怎麼辦？或你的時間很緊迫？正好發生衝突？孩子違反了一項重大的規定？這時候討論無濟於事，而清楚明確的指示大概也幫助不大，所以這時候應該使用「說清楚講明白」的下一步，亦即「壞掉的唱片」這一招：重複幾遍孩子應該做的事，不要理會他的反對。

如何發揮功效？

或許已經沒有多少人還擁有一台完好的留聲機。留聲機靠一根唱針，滑過唱片上的溝槽，讓刻印在上面的凹凸紋路，透過留聲機的喇叭變成美妙的音樂。當唱片有裂痕時，唱針就會卡住，但是唱片仍繼續轉動，於是有段旋律或歌詞便會一再重複播放，直到唱針從唱片上移開為止。

這可以很容易延伸應用在說清楚講明白的時候：重複幾遍你要孩子做的事，不要理會他的反對意見。其實多數孩子都知道，一再重複自己的主張，效果非常好。

對孩子使用「壞掉的唱片」這一招，
其實正是「以其人之道，還治其人之身」。

以下這個例子，是四歲的安妮卡和媽媽之間的對話，正好可以看出孩子如何使用「壞掉的唱片」這一招。那是個炎熱的夏日，安妮卡和媽媽在小鎮上買東西。

安妮卡：「媽媽，我可以買冰吃嗎？」

媽媽：「你今天早上不是已經吃過了？」

安妮卡：「可是我想吃嘛！」

媽媽：「吃太多冰不健康，會肚子痛。」

安妮卡：「媽咪，我真的很想吃冰。」

媽媽：「可是已經那麼晚了，我們必須馬上回家。」

安妮卡：「拜託啦，媽媽……」

媽媽：「好吧，下不為例……」

安妮卡怎麼辦到的？就是對媽媽所提的理由置之不理，也不和媽媽討論吃多少冰才算健康，超過多少就會肚子痛。她一再簡潔、堅決明確的重複她的願望，就像壞掉的唱片。

幾乎所有的大人在面臨這種情形時，反應都和這位媽媽一樣：先說出理由，開始討論，要孩子了解為什麼不可以吃冰。所以從她的角度來看，她也同樣要孩子明白她的願望，於是一個清楚明確的指示很容易變成一段冗長的討論，使得媽媽完全忘記自己到底要什麼，難怪孩子很喜歡這類討論。此外，這也是得到媽媽關注的絕佳機會。再舉個例子：

▸▸ 媽媽（蹲下來，注視安妮卡的眼睛，摸著她的肩膀，給她一個清楚的指示）：「安妮卡，現在把樂高積木收進玩具箱裡！」

安妮卡：「為什麼？」

媽媽：「因為是你倒出來玩的。」

安妮卡：「真過分，每次都是我收拾，整天都在收拾！」

媽媽：「你不需要整天收拾。可是你必須學會，把你倒出來的東西收拾好。」

安妮卡：「提米（兩歲大的弟弟）永遠都不必收拾，實在太過分了！你總是什麼都幫他做，卻從來不幫我！」

媽媽：「提米比你小很多，他一個人做不來。」

安妮卡：「他可以，你愛提米勝過我！」

媽媽：「好了，不要再說了！你明明知道你這樣說是不對的！」

這串討論可以繼續延伸下去。安妮卡媽媽保持冷靜，尚未犯下第二章所說的任何一種錯誤。如果這場討論持續得夠長的話，她還是很容易犯錯的，而最後安妮卡是否真的會收拾，則很難說。在這種情況下是不適合討論的，安妮卡成功的讓媽媽所下達的明確指示，突然改變了方向。

再舉另一個例子。以下三歲的麗莎和媽媽之間的對話，幾乎每天早上都會上演：

▸▸ 媽媽：「麗莎，現在把衣服穿好！」（清楚的指示）

麗莎：「不要。」

媽媽：「來啦，好乖。等你穿好，我們一起做點好玩的事。」

麗莎：「做什麼呢？」

媽媽：「我們可以一起拼圖。」

麗莎：「我不要。拼圖很無聊，我要看電視。」

媽媽：「一大早看電視？絕對不可以！」

麗莎（哭泣）：「你老是不准我看電視！所有小孩都可以！只有我不行！」

媽媽：「不對。所有我認識的小孩早上也都不准看電視。」

麗莎這時為了一件完全不相干的事哭了起來，而她還是一直沒有穿好衣服。通常結尾是，媽媽把麗莎抱起來安慰她，然後幫她穿好衣服，雖然她自己也可以把衣服穿好。這個例子中，媽媽下達一道清楚的指示之後，也陷入一場沒有結果的討論。這一次麗莎靠著看電視這個題目另闢戰場，當然她也能把媽媽擺出來的每件衣物，從襪子到合適的髮夾，都大加討論一番。對一個還沒上幼兒園的三歲小女孩來說，她真有本事。

其他做法

安妮卡和麗莎的媽媽能如何避開困境呢？使用「壞掉的唱片」這個方法，能讓清楚的指示不至於改變方向，也不至於離題。安妮卡已經讓我們知道，這個技巧可以讓她實現她想吃冰的願望，這次換安妮卡媽媽來用「壞掉的唱片」這個方法：

▸▸ 媽媽（蹲下來，注視安妮卡的眼睛，摸著她的肩膀，給她一個清楚的指示）：「安妮卡，現在把樂高積木收進玩具箱裡！」

安妮卡：「為什麼？」

媽媽：「一定要現在。你既然拿出了積木，就要負責把它們收進玩具箱！」

安妮卡：「真過分，每次都是我收拾，整天收拾！」

媽媽：「來吧，安妮卡，現在把樂高積木收進玩具箱裡！」

安妮卡（開始收拾，並小聲抗議）：「每次都是我……」

麗莎和媽媽之間的對話也會完全不一樣。麗莎媽媽如果使用「換掉的唱片」這招：

▶▶ 媽媽：「麗莎，現在把衣服穿好！」（清楚的指示）

麗莎：「我不要。」

媽媽：「這裡，麗莎。先穿上襯衫。」

麗莎：「可是我要跟你玩！」

媽媽：「麗莎，現在穿上你的小襯衫。」

麗莎（嘟著嘴，但是穿上她的襯衫）：「討厭……」

你不相信這麼簡單就可以做到？試試看！很多父母都察覺到，他們經常參與了成效不彰的討論。當他們反過來使用「壞掉的唱片」時，對其成效深感驚訝。但「壞掉的唱片」絕對不可無止境的使用。你可以重複三遍，但不可以超過！

第一章曾敘述過八歲薇琪的故事。她總是在上學前說她肚子痛，而且早上要上十次廁所。

薇琪媽媽花了兩個星期和她女兒討論、安慰她，最後也有三天讓她留在家裡，但還是找不出薇琪突然「害怕」上學的原因，她白天和晚上都很快樂的嬉鬧如常。所以薇琪媽媽決定，以另外一種方式給薇琪安全感。不管薇琪如何哀求和提出理由，媽媽現在每天早上的反應都一樣。她對著薇琪彎下腰來，摸著她的肩膀，充滿慈愛與肯定的語氣說：「你現在去上學。我很抱歉，對你來說這很困難。」

如果薇琪像之前那樣，又想在最後一分鐘上廁所的話，媽媽就說：「你現在出門去。你已經上過廁所了。」別的話她都不再說。有時候她會重複她的話（「壞掉的唱片」）。媽媽很驚訝，薇琪的「腹痛」很快得到改善。一星期後薇琪又像之前一樣，好端端的去上學了。

留時間討論

為了預防誤解，容我稍做解釋：親子之間的討論很重要，而且一天當中絕對可以多進行幾次。一起吃飯時、睡前儀式進行時、每天安排給孩子的時段裡（見第二章「留時間付出關懷」）、安靜的半小時裡……在這類情況下，討論是很有意義的，而且會得到好的結果。這時候你有時間傾聽，可以讓孩子明白你的需求，並提出論點。請主動提供孩子這樣的討論機會，所有在使用「壞掉的唱片」時省略不提的理由，都可以在這類安靜的半小時裡補充說明。如果孩子真的很在乎這件事，一定也會對這樣的討論感興趣。

大致上來說，孩子只有在能藉由討論而轉移話題、並想要獲得關注時，才會想要討價還價。在「安靜的半小時」裡，這個目的不見了，所以對孩子來說，討論或許根本不再那麼重要。

若是衝突發生、或孩子正好違反規矩時，討論是沒有用的。這時應該用「壞掉的唱片」這個方法。重複三遍以後孩子依然故我？那麼我們第一階段設定界限的計畫算是黔驢技窮，光是說清楚講明白沒有發揮功效。那麼請進入下一個階段：說到做到。

第二階段：說到做到

很多父母靠著說清楚講明白這個階段裡的指示，往前邁進了一大步，尤其「下達明確指示」和使用「壞掉的唱片」這兩個方法，經證明非常有效。不過在父母下達清楚指示的同時，就應該知道：「下一步要做什麼？如果孩子一直不聽我的話，該怎麼辦？」

到目前為止，當孩子不遵從你的清楚指示時，你都如何反應？你很可能在無意中犯下父母普遍會犯的錯誤當中的一個：責備、問為什麼、宣布後果卻沒有照做、威脅和責罵、嚴懲或毆打。這些反應都是從一種憤怒、氣惱和無助的感覺中產生的，而偏偏現在最重要的是保持一顆冷靜的頭腦，並繼續下一步驟。很多孩子不為言語所動。他們是在測試：「如果我現在依然（不）這麼做的話，會怎麼樣？」

行動的效果勝過言語，我們必須採取行動，否則孩子就更不把我們當一回事。如果不採取行動，我們就失去了可信度。

大部分的孩子必須感受到後果，才能從中得到教訓。但是在發生衝突及非常激動的狀態下，我們經常想不出合理的辦法。所以我們必須及時、審慎考慮，計畫我們話一出口，要採取哪些行動。

- 你的行動不該是處罰，而是設定界限。應該讓孩子明白：「停！這種行為我不允許！」處罰帶有專斷和敵視的味道，但是合理的後果卻能讓孩子從中學到教訓，這才是你想要達到的目的，才是為孩子的利益著想。所以你的訊息是：「我愛你，你對我很重要，所以你的所作所為，對我而言不是無所謂的。你必須遵守規矩，我會幫助你做到。」
- 你的孩子可以選擇：「我若不是守規矩、乖乖照爸爸媽媽的話去做，就是承擔後果。」
- 為了讓你的行動有效，必須注意一點：後果可以是孩子不喜歡、令他不高興的，但是你永遠不可以造成他心理或生理上的傷害。

哪些年紀做出哪些行為，因此要承受哪些後果算是合理的，這個問題幾乎永遠回答不完。接下來的幾頁，可以讀到很多具體的例子和訣竅。

從必然的後果中學到教訓

專家一致同意：孩子錯誤的行為，與必須承擔的後果，其間關聯愈清楚愈好。如果孩子晚上沒有把玩具收拾好，為此「被罰」晚餐沒有甜點可吃的話，就不太合理。他應該「經一事，長一智」，並為自己所做的事情負起責任。舉幾個例子來說明。

夜裡醒來

▶▶ 約拿斯（十一個月大）有個很討厭的習慣：他在夜裡一點左右會醒過來哭泣，接下來至少兩小時他都一直醒著。

約拿斯的父母無論怎麼做，這孩子就是不會在三點以前再入睡。不過他會在早上補眠，上午九點或十點以前不會醒過來。後來約拿斯在晚上九點左右被送上床。他這個年紀的孩子通常晚上需要約十小時的睡眠。想當然耳，後果就是規律的在早上七點叫醒約拿斯。從第三夜起，他就一覺到天亮了。約拿斯學到的規矩就是：「上床等於睡覺」。

亂跑

▸▸ 丹尼爾（兩歲）喜歡和媽媽去散步。讓她很困擾的是，他經常掙脫她的手亂跑，媽媽總是得跟在他後面跑，抓住他。

丹尼爾覺得這樣很好玩，媽媽卻覺得一點都不好玩，於是決定採取行動。她一如往常帶著娃娃車進市中心。丹尼爾可以牽著她的手走。她好幾次清楚的指示他：「留在我身邊！」儘管如此，五分鐘以後他還是跑開了。

這個情況下，可能有兩種做法：如果路上沒有車子，媽媽就讓丹尼爾跑開，並留意他的安全。等他開始擔心的找媽媽時，她再走過去並重複跟他說：「現在你要待在我身邊！」當他覺得一個人不自在時，就不會再跑開了。

丹尼爾媽媽偏愛第二種做法：她把兒子綁在娃娃車上。丹尼爾先是尖叫不止，等他冷靜下來，才准他再下來走。這次他便乖乖留在媽媽身邊。從那時起，丹尼爾媽媽每次都這麼做，直到丹尼爾學會這條規矩：「我不能想要自己走就自己走，而是必須留在媽媽身邊。」

吃飯時胡鬧

▶▶ 卡蘿拉三歲半，每次吃飯都胡鬧，每頓飯都拖延一個小時以上。

卡蘿拉讓媽媽餵，吃飯時需要額外轉移注意的東西，像是電視或故事書，才肯吃下一點點東西，日子完全被因吃飯而起的爭論所左右。

卡蘿拉的媽媽深信她的女兒太瘦了，所以不放過任何可以強迫她女兒吃東西的機會。譬如每次散步時，她的口袋裡都會帶著小麵包球，然後趁著卡蘿拉不注意時，塞進她的嘴裡。

這種情況下如何「從後果學到教訓」呢？吃飯時，孩子自己最清楚他需要吃多少，違背孩子的意願強行餵食是絕對不合理的。不可以強迫任何人吃東西，不管是透過任何一種方式，或是以暴力強迫。兩者都會造成令人憂心的影響，例如卡蘿拉就習慣經常性的嘔吐。

在吃飯這件事上，如果要正確的「從後果學到教訓」的話，應該考慮採取相反的做法，做法上有一清二楚的規定，但是孩子可以共同決定。

- 請你限制供應食物的時間。
- 請你挑選你想供應的菜餚。
- 留給孩子決定他想吃多少。
- 陪孩子一起吃飯。多注意你自己的飯菜，不要注意孩子的。
- 吃飯時孩子要留在座位上坐好。
- 超出正常對話範圍、用來轉移注意力的東西是不適當的。

所有這些重點都和卡蘿拉的媽媽談過。不過小兒科醫師必須先說服她相信，卡蘿拉並沒有太瘦。她從出生以來體重雖然低於一般的平均值，但一直穩定且均衡增加。卡蘿拉是個健康的女孩，身體很好又很靈活。她自己知道她需要多少食物。讓媽媽明白這一點，是「治療」中最重要又最困難的部分。

在諮詢過後，卡蘿拉媽媽讓女兒自己決定食量，吃飯時間固定為十五分鐘。時間一到，餐桌就會收拾乾淨，要到下一餐卡蘿拉才有東西吃。這之間她可以吃水果，要吃多少就吃多少。像電視或故事書這類會轉移注意的東西，吃飯時間不准再出現。

卡蘿拉連續四天都吃得非常少。後來她顯然從經驗中學習到：「如果我什麼都不吃，會肚子餓。除了固定的三餐，什麼都沒得吃。如果想避免『飢餓』這種不舒服的感覺，吃飯時我就必須吃點東西。」卡蘿拉雖然沒有吃得比之前多，但是母女之間不再鬥了。

穿衣服拖拖拉拉

▸▸ 六歲的米莉安（第一章也提過）每天早上穿衣服時都拖拖拉拉。她一星期有兩到三次因為沒及時穿好衣服，而沒上幼兒園。

可是遲到對米莉安來說根本無所謂，所以遲到不適合當做必然的後果。在這情況下，「從後果學到教訓」可以是這樣：

米莉安媽媽把話跟女兒講清楚，並且使用「壞掉的唱片」這個方法：「你現在把衣服穿好，我無論如何，都會準時送你去幼兒園。」她重複這句話三遍卻沒有用，米莉安仍穿著睡衣坐在地板上，一動也不動。媽媽離開房間，不再回應女兒對她的呼喚。從那時開始，她每隔五分鐘走回米莉安的房間，每次都說：「米莉安，你需要我幫忙嗎？當指針走到這兒時，我們就出發。」米莉安不相信媽媽的話。她又罵又叫，不肯穿衣服。說好的時間一到，米莉安媽媽牽起女兒的手，把她帶上車，即便她身穿睡衣。媽媽把她的東西也一併帶上車，結果米莉安在車上迅速換上衣服，一邊罵媽媽有多過分，但是媽媽什麼都沒說。從第二天開始，光是「說清楚講明白」就夠了，米莉安已經從後果學到教訓。

在幼兒園的年紀，這個方法永遠有用。只有少數情況下，孩子會真的穿著睡衣出門。當然父母內心必須願意，在萬不得已時要走到這一步。孩子會感受到父母的決心，並在最後一秒決定，還是把該做的事做好。

放學接人緊張兮兮

▶▶ 四歲的提洛早上穿衣服沒有問題，但是從幼兒園接他回家，卻幾乎每天都叫人緊張兮兮。提洛媽媽常要和幼兒園老師簡短交談，而提洛根本不讓她講，因為他在大人講話時亂吼亂叫，還坐在地上哭鬧，直到媽媽受不了只好讓步，帶著他離開幼兒園。

我們一起思考過，提洛媽媽能使用哪些合理的後果。

她先讓她兒子知道，她了解他的不耐煩：「我知道，你很累」或「現在你很無聊，但這是不可避免的」。她使用的是「主動傾聽」，是反制孩子爭取父母注意的有效方法，這在前面描述過。

接著她說：「等你冷靜下來，我們再走。」她坐下來，等到兒子停止哭鬧為止，為此她還未雨綢繆的帶了一本雜誌來，於是哭鬧對提洛而言一點意思都沒有，不久他就停止不哭鬧了。令提洛媽媽驚訝的是，在這之後到幼兒園接他，就一點問題也沒有。

「我不要一起去！」

▶▶ 和前面類似的例子是，我和我六歲的女兒安德莉雅曾有過的一次爭執。我幫她和美容院約好一個時間，她當時同意了。但是當我們要出發時，她開始哭鬧，拒絕一起去。

我看著她，很冷靜的說：「我們和美容院約好了，我會準時帶你去。如果你一直哭的話，我是無所謂，而且理髮師一定也習慣了，小孩子常常一邊剪頭髮一邊哭的。可是有一件事是確定的：只有當你冷靜下來，你才能自己說，你的頭髮應該剪成什麼樣子。」我女兒在路上還是一直哭，但是我們一踏進美容院，她就不哭了。她很合作，而且我也准許她說出她想要的髮型。剪完之後，她對自己的新髮型很得意。

整理

▶▶ 有一回我在幼兒園旁聽時，我對他們順利整理好東西，印象非常深刻。所有的孩子都把玩過的玩具收好。勞作、積木、玩偶、裝扮箱裡的物品，每一樣東西都仔細放好，而且毫無異議。

幼兒園裡有規定，而且會注意孩子是否遵守。孩子甚至會互相提醒：「舊的玩具要先收走，才可以拿新的出來玩。」「教室要整理乾淨，才可以到外面去玩。」為什麼不能在家裡也貫徹執行這些規定呢？

另一個合理的後果是「星期六箱子」：如果孩子拒絕收拾的話，可以告訴他：「我把鬧鐘調到十五分鐘。時間一到，我就把所有還散落在四處的東西收進一個箱子裡，到下個星期六你才能拿到這個箱子。」要是同一件玩具連續好幾次都被收進箱子，也可以把這玩具沒收一段時間，甚至完全剔除。這麼做正好可以看出，孩子真正珍惜的是哪些東西，只有對他不重要的東西，才會被擱在那裡。

「我不要上廁所」

▶▶ 當珍妮芙媽媽來接受諮詢時，珍妮芙快五歲。她已經很久都不必穿紙尿褲，可是卻拒絕到廁所上大號，她堅持要用紙尿褲。

使用紙尿褲的話，媽媽會把珍妮芙抱上換尿布的台子上，用溼紙巾擦乾淨，塗上乳霜，再穿好衣服。珍妮芙很喜歡這樣，既然如此，她為什麼要改變呢？

必然的後果是，讓珍妮芙自己感受一下她的「方法」所造成的不愉快。她必須自己去拿紙尿褲，抓緊褲子（媽媽刻意買了小一號的紙尿褲，讓她穿不上去），自己拿去廁所清掉，接著去浴缸洗乾淨，再自己把衣服穿好。但是珍妮芙一點都不喜歡這樣，因此改變的動力現在大多了。幾週後，珍妮芙就寧願去上廁所。

喧鬧不止

▶▶ 當爸爸晚上七點左右下班回到家時，麥克和路易（六和八歲）總是欣喜若狂。爸爸連衣服都還沒換下來，他們就撲在他身上，要和他玩。

這兩人運氣不錯，因為爸爸也很高興看見他兩個兒子，也想陪他們玩一下。不過有一件事他不喜歡：幾分鐘後，從一起玩變成大聲的、瘋狂的喧鬧。男孩子玩得愈來愈起勁。爸爸根本阻止不了這兩個人，晚上的睡前儀式也就亂成一團。

這裡提供一個很簡單的規定，其後果也很簡單：「我現在有半小時的時間陪你們玩。今天麥克可以選要玩什麼，明天輪到路易，一直輪流。但是有一個條件：如果很吵、開始喧鬧的話，遊戲時間就立刻結束。給你們選。」

第一天晚上這兩人不相信爸爸是說真的，他們很不習慣這樣。結果爸爸真的在十分鐘之後結束遊戲時間，但是之後就很少必須提前結束。因為對這兩個小男生來說，和爸爸一起玩實在太寶貴了，所以他們一定要把這段時間利用到最後。

「我不要做這個」

▸▸ 尤麗（六歲）應該慢慢幫忙做家事。她的任務是午餐時把餐具擺好。剛開始很順利，一段時間之後她開始抱怨。最後她完全拒絕幫忙：「你自己做嘛。」她對媽媽說。

尤麗媽媽只回答說：「擺餐具是你的任務。沒有盤子和叉子我們沒辦法吃飯。」這一天到晚上才有午餐吃。

如果孩子拒絕承擔約定好的義務，還可以有另一種可能的後果：約別人出去玩、觀賞最愛看的電視節目等等，這些事都只有在任務完成後才可以去做。「只要你的任務沒做完，就不能去做你想做的事！」

健忘

▸▸ 丹尼爾（七歲）很健忘。雖然媽媽提醒他，他還是忘了帶他的體育用品包、忘記帶功課到學校，而且也幾乎從來不知道有什麼功課要做。

剛開始媽媽會幫他把東西送到學校去，放學後坐在電話旁邊，想辦法問別人有哪些功課要做。但是情況並沒有改善，因為丹尼爾覺得那不是他的責任，他完全依賴媽媽。

後來，她告訴他：「你現在得自己記得你的東西。」一開始，他沒有把她的話當真。接下來幾次體育課他都必須坐冷板凳，因為他沒帶體育用品。數學課時他的作業簿沒有像平常一樣得到獎勵章，因為簿子還在家裡的書桌上。「媽媽，你沒有把東西給我。」回到家時他非常憤怒的喊道。「明天你自己記得帶。」媽媽只這麼說。丹尼爾照著做了。可是第二天他又不知道他有什麼功課。這次他媽媽也不幫他問，只說：「你明天把功課抄下來。」

丹尼爾必須向老師解釋，為什麼他沒辦法做功課，這讓他心裡很不舒服。此外他知道：如果明天沒有把功課補寫好的話，就必須在學校多留一小時把功課寫完。不過，這只發生過一次。

藉助肢體力量

當小嬰兒或幼兒不做他該做的事時，經常只有一個理所當然的後果：必須藉助溫柔的肢體力量來「敦促」他。當小寶寶包尿布扭來扭去時，緊緊抓住他；當兩歲的孩子靠近危險時，把他牽開；三歲的孩子拒絕朝臥室方向走時，可以推他、拉他或抱他；當你趕時間時，他拒絕穿外套嗎？除了「幫他穿」，別無他法；當孩子不肯好好刷牙時，你就必須「幫他刷」。

到上小學前，都還會出現這類情況。這跟打孩子或傷害孩子一點關係也沒有。這是動用肢體來設定界限，帶有慈愛和肯定，而非處罰或有敵意的意味在裡面。

▸▸ 「出於自願或以暴力脅迫」這個問題，已經變成我和女兒之間的一句流行用語。我使用『暴力』的方式，對六歲的安德莉雅來說，應該不會很嚇人，不然她不會常常問我說：「媽咪，我今天那麼乖，可以請你用暴力送我上床睡覺嗎？」

通常動用肢體來「敦促」是不怎麼好玩的，經常和孩子的哭鬧聲連在一起。我們會有一種真的在對他施暴的感覺，在「強迫他接受我們的意志」。但是，正確的說法是：我們是在貫徹執行我們認為必要的事情，即使違背孩子的意願。我們不是專斷而為，而是因為孩子在這一刻還無法就自己的利益做出決定。我們知道什麼該做，什麼不該做。在這情況下，最困難的是控制自己、保持冷靜，而偏偏這是最重要的。

如果避免不了動手來敦促孩子的話，無論如何，一定要使用友善冷靜的聲音。「你一個人也可以走」、「你只要保持靜止不動，就會好很多」、「你也可以自己穿外套」，這類句子可以讓孩子明白，他有選擇的可能。

這樣不行！

最後這個例子可看出，在選擇「理所當然」的後果時，多容易出錯：

▸▸ 馬克斯八歲，他和媽媽的關係非常緊繃。馬克斯為了爭取注意，和媽媽賭氣，甚至連功課也不好好做。

我和馬克斯的媽媽談過，如何對她兒子說清楚講明白，以及使用「壞掉的唱片」這個技巧。有一回她又坐在兒子旁邊陪他寫功課，他不但不專心，還一直玩一疊足球卡，使她非常生氣。她要求他三次：「把卡片放到一邊去」，可是沒有用。這時媽媽必須採取行動，可惜的是，她事前沒有考慮好下一步該怎麼做，在生氣和失望之餘，決定拿走那些卡片，甚至一氣之下把它們撕成兩半。馬克斯痛哭流涕，這些他最愛的球星卡片，是他存了許多錢，又花了很長的時間，才好不容易交換收集的，而現在全都毀了。

這位媽媽應該怎麼做呢？這些足球卡，是真的干擾到馬克斯做功課，使他無法專心；但只要把卡片拿開，等他做完功課再還他就可以了。

沉默是金

所有必然的後果，都只有在一個條件下才能發揮效果：讓你的行動說話，但請你自己保持沉默。

你絕對可以藉助溫和的肢體力量，平靜而肯定的把孩子推上樓，只要你在推的時候沉默不語，或只簡短說道：「我現在帶你去浴室。」我們當然非常想破口大罵：「每天晚上都要這樣鬧！我快受不了了！你不能自動去浴室嗎？你知不知道這很煩……」這些話很容易脫口而出，但是無言的行動不是更有效嗎？

只要你一邊行動一邊責備，就很難順利的讓孩子從必然的後果中學到教訓，也會蒙上親子角力的陰影。下頁表格中還有幾個範例，是將明顯而多餘的評語，和必然的後果兩相對照。

沉默是金，但雄辯卻非銀，甚至比銀還糟糕。雄辯會把必然的後果轉變成處罰，而先前提過父母犯的典型錯誤及其所造成的影響，都可能成真。要保持沉默很難，但熟能生巧。

明智之舉常是：讓不良行為所造成的必然後果，自然而然發生，而不要事前預告後果。

孩子典型的行為方式所產生的必然後果

引人注意的行為	必然的後果
里歐娜，九個月大，夜裡醒來三次，而且每次都要喝一大瓶牛奶麥糊，但是白天幾乎不喝奶。	減少夜裡喝奶的量。一週後夜裡不再給里歐娜喝任何東西，好讓她在白天吃飽。
馬歇爾，兩歲，會氣得砸壞他心愛的小汽車。	馬歇爾得不到新的小汽車做補償。
蘿拉，三歲，不去上廁所，雖然她可以控制自己的大小便。	不再給她穿紙尿褲。這樣褲子會有一段時間一直溼溼的，不然蘿拉必須自己換褲子。
三歲的卡蘿拉拒絕吃午飯。	她要等到下一餐才有東西吃。
湯瑪斯，五歲，把牛奶灑得四處都是。	遞給他一條抹布，讓他自己把牛奶擦拭乾淨。
馬提亞斯，五歲，拒絕把他在客廳地上的玩具收好。	玩具被收進一個箱子裡，至少沒收一個星期。
莎賓娜，六歲，開始哭泣，因為她怕跟媽媽玩扮家家酒遊戲的時候會輸。	媽媽結束遊戲。
亞力山大，七歲，每天早上即使警告很多次，還是拖拖拉拉。	他上學遲到。
莎拉，八歲，在跟姊姊搶娃娃的時候，扯斷了娃娃的一隻手臂。	莎拉必須用她的零用錢，賠姊姊一個娃娃。

想像一下，莎賓娜媽媽（見左頁表格）在遊戲開始時，可能就已經說：「有一點我們先講清楚，如果你開始哭的話，我立刻停止不玩。」或者湯瑪斯的爸爸可能在擺餐具時就已經對他兒子說：「如果你今天再把牛奶打翻的話，你就得自己擦乾淨。」卡蘿拉的媽媽可能預告說：「如果你再什麼都不吃的話，兩餐之間你可是什麼都沒得吃！」你認為這會有幫助嗎？

這些例子中父母直接說出他們不樂見的行為，而且是在根本還沒有發生之前就說，但這樣更是在召喚它們發生。如果你真要說什麼的話，請注意下列幾點：

強調你所樂見的行為必然有哪些後果，而且請強調正面的。比方說：「如果你安靜下來的話，就可以自己挑選你要的髮型。」「如果你現在動作快一點的話，還可以準時到校。」「如果玩遊戲時你平心靜氣的話，我們就可以把整個遊戲玩到最後。」「如果你去上廁所的話，就整天都可以穿著乾淨清爽的衣服。」

暫停

為了能設定合理的界限，最有效、研究得最透澈的方式就是暫停。這是從英文的「timeout」翻譯過來的，是源自運動的概念：暫停即運動比賽進行時，賽事中斷的時間，而暫停的時間長短，在比賽規則中都有精確的限制。參賽隊伍可以在此時恢復精力，或重新調整戰術。

把暫停用在教養上，就是暫停孩子不當的行為，也是一種合邏輯的後果。父母先向孩子發出：「我不允許這種行為」的訊號，然後父母和孩子之間的接觸，會暫時受限或者中斷。方式可能有三種：

- 媽媽或爸爸陪孩子留在同一個房間裡。
- 媽媽或爸爸離開房間，並讓孩子單獨留在那裡。
- 孩子被帶到另一個房間，並暫時單獨留在那裡。

若「說清楚講明白」沒有用，其他必然的後果也派不上用場，或者必須立刻採取行動時，就用「暫停」這個方法。我已經舉出三種暫停的可能方式，下面要談何時採用哪一種恰當的。

以必然的後果取代多餘的評語

多餘的評語	必然的後果
莎賓娜媽媽罵道：「你以為，如果你一直哭的話，跟你玩會很有趣嗎？」	莎賓娜媽媽在莎賓娜開始哭的時候，不發一語，結束遊戲。
蘿拉媽媽說：「怎麼可能，你又尿溼褲子了！為什麼要這樣？」	當褲子尿溼時，蘿拉媽媽只說：「你知道乾淨的衣服在哪裡」，然後就不再說話。
湯瑪斯爸爸說：「拜託你小心一點嘛！為什麼總是這麼笨手笨腳的！」	湯瑪斯必須把他打翻的牛奶擦乾淨。他爸爸沉默的看著。

對小寶寶和幼兒：在同一個房間裡實施暫停

對兩歲以下的小寶寶和幼兒來說，即使暫停的時間很短，也不能完全確定他們不會出現分離焦慮。因此陪孩子留在房間，或者至少待在孩子的視線之內是比較好的做法。有分離焦

讓必然的後果完全發揮效果

當言語無效時，必須採取行動。給孩子一個「經一事，長一智」的機會。專斷的處罰除了會造成敵意，別無效果。後果必須清楚和公平，而且是孩子能夠體會的，這樣孩子才能從中學到教訓。
讓你的行動替你說話，你自己最好保持沉默。此外應該再注意三件非常重要的事：

立刻！

必然的後果必須立刻出現，不能等到明天、後天或下星期才出現。孩子愈小，這一點愈重要。

每次！

這一次堅持，下一次讓步，只會鼓動孩子與你抗爭。每當不當行為發生後，每次都必須有必然的後果接著出現。
「每次」意味著：「今天是，明天也是。」不過「每次」也意味著：「媽媽是，爸爸也是。」
規矩必須是父母雙方都一致要求，後果必須兩人以相同的方式，化為實際的行動，否則孩子會嘗試在父母之間挑撥離間。

適當！

合理的後果不只應該合乎邏輯，也要適當，不要太重也不要太輕。
孩子因為晚了十分鐘到家，所以宣布禁足兩星期，這樣可能太過嚴厲，反而比較像處罰，而不是必然的後果。孩子因為拒絕收拾玩具，所以沒收玩具五分鐘，這樣反而太輕，無法讓孩子留下深刻的印象。

慮的孩子，建議你到孩子滿三歲為止，都使用這種暫停方式。比方說可以把孩子帶到房間的另一個角落，或放在學爬的褥墊上，也可以放在高腳椅上，或者放進圍欄裡。如果孩子已經大一點的話，可以放在柵門的另一邊。

這類暫停，在什麼時候對幼兒是合理又必要的呢？

- **當他傷害別人時**。打、咬、踢、扯頭髮——這些「攻擊性」行為，經常發生在三歲以下的小孩身上。這跟「惡意」無關，只是這年紀的小孩根本還無法設身處地為別人著想，不懂這樣會弄痛別人。儘管如此，他們還是該儘早學習到，這種行為是不被接受的。如果你對孩子回手或回咬，好讓他明白那有多痛，那麼你就不是個好榜樣。這時，暫停一下是最有效的。
- **當他弄壞東西，或亂丟東西時**。小孩子還不會估計東西的價值。他還不懂東西雖然很容易壞掉，但並不容易修好，或者根本就修不好。儘管如此，他已經可以學到你是不允許這種行為的。最好的做法，就是把東西直接從孩子手裡拿走。如果他繼續拿其他東西的話，暫停一下最好。

- **當他固執的緊抓不放和哭鬧時**。很多小寶寶和幼兒只要一哭鬧，總是可以立刻實現他們的願望。父母通常是一片好意，他們希望孩子高興，而且是一直保持高興的心情。可惜這方法沒用。相反的，這類小孩經常特別不知足。他們很喜歡尖叫哭鬧，因為他們學習到：尖叫哭鬧可以帶來關愛。他們對自己的能力和喜好，根本毫無正確的認知，所以無法好好自己一個人玩，更不會發現父母其實也有他們的需求。和爸爸或媽媽待在同一個房間裡暫停一下，可能是個辦法，一來孩子不會被處罰，只是待在一旁，二來孩子並沒有實現他的願望，而且必須自己想點事來做。這如何轉換成實際做法，可從下列例子看出來。

▸▸ 克麗絲提娜（八個月大）還完全接受哺乳。這陣子她長了兩顆小牙。原本到目前為止都沒有問題，但是有一天她在喝母奶時，突然用她尖銳的小牙齒用力一咬，害媽媽痛得大叫。

克麗絲提娜需要一個教訓，好讓她能學會：「喝母奶時，我必須謹慎使用我的小牙齒」這個規矩。

她媽媽使用了一次暫停：她一邊說「你咬得我好痛！」一邊立刻將女兒從胸前抱開，把她放在學爬的褥墊上。她待在女兒身邊幾分鐘，但並不陪她玩，雖然女兒在墊子上哭。稍後媽媽才抱起她，看著她說：「現在我們再試一次。可是你要很小心才行！」這次克麗絲提娜溫柔又謹慎的喝奶。

如果克麗絲提娜再咬一次的話，她媽媽會立刻再把她放回墊子上，而且有一段時間都不去注意她。媽媽會再等上一到兩分鐘，才再讓女兒重新喝奶。

▸▸ 保羅（八個月大）的故事在第一章已經提過。保羅的父母很沮喪，因為他們的兒子非常不知足，就算媽媽一直陪他玩，他白天還是要哭鬧好幾個小時。保羅每隔幾分鐘就需要另外一個吸引他的東西，好讓他暫時得到滿足。

我很快和家長達成共識，保羅必須學習一條新的規矩：「每天同一個時間，我必須自己玩一會兒。媽媽在這段時間有別的事要做。」不過保羅該如何學會這條規矩呢？他還不到一歲，所以他媽媽不能直接把他帶進他房間，告訴他說：「你現在自己玩。」保羅還太小，不能這樣做。

通常在大家一起吃完早餐之後，保羅的心情最好。他媽媽決定，在這段時間內開始去洗碗和整理廚房。她把保羅放在地板上，給他幾樣廚房裡的東西（例如打蛋器和木湯匙）玩耍，走到他身邊蹲下來，看著他說：「我現在必須整理廚房。」她下定決心，接下來十分鐘內最重要的是做家事。保羅雖然可以待在她附近，但不應該是她注意的焦點。

一如預期，保羅在一分鐘後就把打蛋器扔到角落，大聲哭喊、拉著媽媽的腿站起來，要媽媽抱他。他很習慣於他的願望總是立刻實現，可是這回卻發生了一些保羅料想不到的事情：媽媽給了他一次暫停。她又把他放到一段距離之外的地板上，還說：「我現在必須整理廚房。」保羅氣炸了，他提高音量哭喊而且立刻爬回媽媽腳下。媽媽又像第一次那樣：她抱起他，把他放在離自己一段距離之外的地板上，並且說：「我現在必須整理廚房，寶貝（「壞掉的唱片」）。整理完後我就可以再陪你玩。」這情形又重複了一次。

到下一次時，保羅媽媽決定（就像之前講過的），繼續下一步驟：她把保羅放進圍欄裡。他從那裡可以看見媽媽，但他繼續哭鬧的爬上柵欄。媽媽不受干擾，繼續做家事，雖然保羅的哭喊聲已經讓她的胃糾結在一起。每隔兩三分鐘她就轉過身對保羅說：「我現在必須先整理廚房，然後才可以陪你玩。」當十分鐘一到，她重新將注意力完全放在保羅一個人身上。她鬆了一口氣，也很驕傲自己堅持到底，即使剛開始做不了很多家事。

接下來幾天，保羅媽媽都照這個方法去做。每次她都計畫好這段時間內要做的事：整理、看報、自己吃完早餐。她漸漸把時間從十分鐘延長為三十分鐘。才第三天，保羅就已經在暫停的時間內自動停止哭泣。他坐在圍欄內玩耍——這幅景象對媽媽來說，還真是不習慣。

不久後，她覺得不需要每一次都把保羅放進圍欄裡。只有當他緊緊黏著她，讓她無法移動時才這麼做。保羅漸漸學習到，在這段時間裡他不是媽媽注意的焦點，而且哭鬧也無濟於事。他愈來愈常以玩耍來代替哭鬧。媽媽注意到，這個改變對他們兩人都有好處。所以她在下午另外安排了半小時，完全照著這麼做。

即使孩子還小，在暫停的時間裡，請依然使用「我……」的訊息。

「我現在必須整理」、「我現在想把早餐吃完」、「我得打個電話」……說這些話永遠不嫌早。這樣孩子會知道你的需求，而你也能避免自己責罵和責備孩子。

▸▸ 你還記得那個幼幼班裡的「恐怖分子」派迪克嗎？這個兩歲的小男生，會咬會打別的小孩，還搶走他們的玩具拿來亂丟。每次他媽媽都走過去罵他。她幾乎每次都宣布說：「如果你再這樣的話，我們就回家。」不過她從來沒有真的做到。

派迪克媽媽該怎麼做才能更有效呢？當派迪克弄痛別的小孩或拿東西亂丟時，她要說清楚講明白。蹲下來，看著他，抓住他的小手說：「停！現在立刻停止這樣做！」然後把他帶到房間的另一個角落去，將注意力從他身上移開，反過來去安慰「受害者」。若派迪克在同一個小時內再度動手打人或咬人的話，她要立刻採取行動。

派迪克雖然已經兩歲，但是還不能把他單獨一個人推到門外去。媽媽陪他一起離開這個房間。在暫停的時間內她陪在他身邊，但不特別關心他。若派迪克哭鬧，她只說：「等你冷靜下來，我們就可以再進去。」這麼說是強調了她正面的想法：但如果派迪克不停止哭鬧的話，她就帶他回家。

在暫停時，其他孩子及許多吸引人的玩具都與派迪克分開。如果他能冷靜下來，就有機會重新加入團體。只要他乖乖玩一段時間，媽媽就坐到他身邊，稱讚他並關心他，她會注意他好的一面。萬一派迪克第三度弄痛別的孩子，她便立刻帶他回家。

最後機會：「安靜椅」

「安靜椅」可以用在兩歲以上的孩子。父母和孩子待在同一房間裡，「安靜椅」是他避免被驅逐出房間的最後機會。孩子必須中斷他正在做的事，然後短時間安靜的坐在媽媽或爸爸旁邊的一張椅子上。這裡舉個例子，來說明「安靜椅」的進行方式。

▸▸ 湯瑪斯（四歲）每次家裡有訪客時，都會玩得特別起勁。他總是搶走玩伴手裡的玩具，即使他正在玩別的東西。但是湯瑪斯家裡的規矩是，不准搶走其他小孩的玩具。

於是湯瑪斯媽媽為了他這個行為，開始實施「安靜椅」。當又有小朋友來訪時，她便提醒兒子這條規矩。儘管如此，湯瑪斯還是在五分鐘後就搶走他朋友手裡的一台玩具挖土機。於是他媽媽說：「湯瑪斯，你知道規矩。你搶走朋友手裡的挖土機。你知道這是不對的。當他來我們家作客時，他就可以玩你的玩具。所以你現在必須坐一下『安靜椅』。」

這時湯瑪斯必須坐在媽媽旁邊的一張椅子上，安靜坐在那裡兩到三分鐘。媽媽在這段時間不特別注意他。如果他能安靜坐在那裡，便會得到稱讚，媽媽也會准許他立刻繼續玩。如果他做不到的話，就要再暫停一次：媽媽會把他帶到另一個房間待上一小段時間。

所以湯瑪斯可以選擇：「如果我接受『安靜椅』，真的安靜的坐著，就可以留在這裡玩。如果做不到，就得去另一個房間。」

每當湯瑪斯違反有關「與人相處」的規範時，必然的後果就是：得坐上「安靜椅」。

「安靜椅」幫很多孩子記起家裡的規矩。他們寧可留在原地，而不要冒著被帶到另一個房間去暫停的風險。所以「安靜椅」是個溫和但還算是有效的方法。但其中的重點是，當孩子一違反規矩時，就要立刻使用「安靜椅」。

這種暫停的時間長度一向很短：介於一到五分鐘之間，可以設定鬧鐘或廚房計時器。規則是：孩子愈小，暫停的時間愈短。

「給父母的暫停」：爸爸或媽媽離開房間

這一種暫停適用於兩歲以上的孩子。例如孩子哭鬧很久、亂發脾氣或責罵你的時候，建議你使用這一種。離開發生事情的地方，不要讓自己捲入爭取注意的反抗中。舉幾個例子：

- 你兩歲的孩子一定要吃巧克力，但是沒吃到，於是賴在地上生氣、跺腳和哭鬧。你離開房間，直到孩子冷靜下來再進去。

如果孩子鬧彆扭的時間很長，你可以每隔幾分鐘過去孩子那裡，向他提出和好的建議：「我能幫你嗎？一切都沒問題嗎？」如果他尖叫著拒絕你，你就再離開房間。重複幾次，直到孩子願意和好為止。

- 你試著幫忙八歲的女兒做功課，她卻不接受你的協助，反而開始罵你：老師的解釋完全不一樣，你什麼都不懂，你根本是個「蠢媽媽」。

請你馬上離開房間。最好是不發一語，無論如何別說出傷人的和開導的話語。如果你很難保持沉默的話，也可以強調你正面的想法：「等你重新客氣的跟我講話時，我很樂意再來幫你。」

- 你兩個孩子（七歲和九歲）已經吵架吵了一整個下午，每隔幾分鐘就出現吵鬧聲，接著你就得出面干涉和調解。你發現內心裡的怒氣逐漸升高，覺得：「如果我現在不大吼幾聲，我會爆炸！」

你可以做些更有效的事來取代咆哮和失控：給自己一次暫停。如果孩子已經夠大，可以自己留在家裡幾分鐘的話，你可以離開家，到附近走一圈。

或許也可以在家裡為自己安排一個撤退點。教養專家建議使用「浴室法」：媽媽或爸爸離開爭論發生之地，短時間撤退到浴室裡（或許帶份報紙進去），直到能再度控制自己為止。

此外還有一種例外情形，從寶寶六個月大起，應該學習單獨在他床上入睡，並且一覺到天亮，這時，你可以開始使用另一種暫停的方式。在我們所著的《每個孩子都能好好睡覺》一書中，說明了該如何做，也談到睡眠障礙如何發生，以及爸媽可以如何因應，讓孩子從小就養成良好的睡眠習慣。

關於這一點，這裡只稍做敘述：別讓你的孩子帶著如奶瓶或奶嘴這類幫助入睡的東西上床；道過「晚安」後便離開房間；寶寶哭泣時，稍等一下再進去，安慰他和撫摸他，讓他知道一切都很正常，但不讓他予取予求（例如給他奶瓶、抱起來走動……）；即使寶寶還在哭鬧，還是離開房間。

這樣重複幾次，直到寶寶入睡為止。只有當他不靠你的協助能單獨入睡時，他才有辦法在夜裡一覺到天亮。這種暫停是非常有效的，大部分的寶寶用這個方法，不消幾天就學會乖乖入睡，並一覺到天亮。

對兩歲以下的小孩：在另一個房間實施暫停

在違反某些家庭規矩時，適合用另一種暫停：不是父母離開房間，而是孩子暫時被帶到另一個房間。必要時，房門可以關上（不是鎖上）。如此便設定出一道特別清楚又有力的界限。條件是，孩子至少要滿兩歲，而且沒有分離焦慮。

出現哪些不當行為時，適合用這種暫停呢？沒有父母會基於樂趣，把孩子帶到另一個房間，而且還關上門。父母應該非常確定，孩子的行為是他們絕對不能接受的。這裡談的不是小事，舉幾個例子：

- 孩子咬、踢或打你或別人。
- 吃飯時故意把盤子丟到地上。
- 肆意拿東西丟人。
- 大家一塊兒坐著用餐時，他鬧彆扭。
- 辱罵你，用粗鄙的話污辱你。
- 當你在講重要的電話時，他大聲喧鬧。
- 即便多次要求，還是不讓你安靜處理完一件重要的事。
- 跟他說清楚講明白後，他挑釁且繼續「測試」你的底線。

進行方式：

- 先想清楚孩子違反了哪一條規矩，使你決定對他採取暫停。
- 如果孩子還不知道暫停這個方法的話，要讓他有所準備。清楚的告訴他，如果他不遵守某些規矩，會發生什麼後果。
- 每當孩子違反規矩而且行為不當時，都要使用暫停。
- 選定一個暫停房間。如果孩子不自願去，就把他帶過去。
- 想辦法讓孩子無法擅自中斷暫停。把門關上（但不要鎖上），必要時緊抓房門。若孩子有分離焦慮，也可以用柵欄來取代，但讓門敞開著。
- 暫停總計都只有幾分鐘而已，請利用鬧鐘或廚房計時器。基本原則是：一歲的孩子一分鐘就夠（兩歲的孩子兩分鐘，三歲的孩子三分鐘，依此類推）。
- 如果孩子在暫停的時間到以後，還在嘶吼或大聲哭泣的話，就進去房裡問他要不要和好。和氣的問孩子，是否一切都沒問題，還是要你把門再關上一次。若孩子繼續哭鬧，就把暫停的時間延長，讓孩子去選擇。

- 只要孩子安靜下來，而且之前規定的暫停時間已到的話，暫停就結束。必要時，可以重複暫停。舉個平常的例子：

▶▶ 第一章已經談過奧力佛（兩歲）。他媽媽覺得他「很壞」，他會打她、咬她、踢她，此外奧力佛鬧脾氣和哭鬧都持續很久。

碰到奧力佛鬧彆扭和哭鬧時，他媽媽通常都會使用上一段描述的暫停：她會離開房間，留下他一個人。不過當她自己必須留在那個房間處理事情，或者奧力佛開始打、踢或咬她，她決定使用這一種：她把他帶到他的房間裡。然後出來把門關上，並且待在門外。

奧力佛雖然已經會自己開門，但他並沒有這麼做。他坐在房裡咆哮。

兩分鐘後，媽媽進去房裡，問他要不要和好：「好點了嗎？你想和我言歸於好嗎？」奧力佛繼續咆哮。於是媽媽又出去，在身後把門關上。兩分鐘後她再度進去，重新提出和好的建議。這次奧力佛嗚咽的朝她伸出小手。他停止哭泣，媽媽准許他待在身邊，立刻原諒和遺忘一切。

不過奧力佛的「理解力」在第一天還是很有限：不久後，他一再重複各種不當行為。他一共被帶進房裡暫停十二次。每次都哭得很慘，但是都很短暫。媽媽每隔兩分鐘進去看他，問他是否一切都沒問題，直到他靠自己的力量平靜下來為止。

第二天奧力佛又被帶到房裡五次，第三天三次。慢慢的，用講的就夠了。媽媽很高興，在面對自己兒子時，不再那麼無助、任他擺布。一星期後她說：「我現在有個完全不一樣的孩子。他突然真的會乖乖玩耍，自己玩的時候可以，跟我玩的時候也可以。」

孩子離開房間的話，怎麼辦？

奧力佛在暫停時自願留在房裡，接受房門關上。然而，絕對不是所有的孩子都如此。有些孩子會立刻跑出來。碰到這種情況你要有所準備：唯一的做法就是，把你宣布的暫停貫徹執行到底。你必須阻止孩子藉口離開房間，不理會正在實施暫停。特殊情況下可能必須把門抵住或抓緊門把，但不要把孩子鎖在裡面，因為這是帶有敵意的反應。

你一定覺得這樣做很嚴厲，當你站在門邊，緊抓著門把的同時，孩子在房裡怒吼和哭鬧，可能還用力踢門。但你要想到，幾分鐘後你就會再打開門，建議孩子：「如果你要和好，那麼就可以到我這裡來；或者你想繼續哭鬧，那麼我就得再把門關上，由你來決定。」用充分的理由，讓孩子知道下一次得乖一點，才不會又被關在一扇門後面。

給孩子選擇的機會。
這樣一來他就有充分的理由，迅速停止哭鬧。

除了暫停，還有別種做法嗎？假設孩子可能任意從房間開溜，而你必須追在他後面，再「逮住」他，該怎麼辦？孩子可有充分的理由，停止做出不當的行為？我想沒有。他寧可發現一個既好玩、又可以自己決定遊戲規則的遊戲。

當我們說一不二的把孩子跟我們分開，在我們之間關上一道門，甚至可能必須把門緊緊抓住時，就算成效極好，我們仍然感覺不好。我們很明白孩子在這一刻對我們的態度不會很好，甚至可能大吼大叫說出：「媽媽，你太過分了！」或是「我恨你！」這類的話。自願被自己孩子討厭，是需要勇氣與自信的。

可是，「暫停」永遠只關係到某一種非常明確、你不贊同的行為。你並不想惹孩子生氣或處罰他，只是要他明白：「我無法允許這種行為。你對我太重要了，我必須為你設定一道界限，好讓你改變你的行為。」透過這樣的方式，你重視且尊重孩子的人格，因此你們倆都禁得起這類的爭辯，不會導致你們之間的關係惡化。

不是所有的小孩都嘗試破門而出，很多都安然接受被關在房間裡暫停。媽媽時常發現，不久前完全不受約束的孩子，幾分鐘後平靜在自己房裡玩耍。有些家長就會想：「暫停似乎對孩子不痛不癢，所以沒有用。」其實這是個錯覺，我們其實是藉由暫停，打斷了孩子的不當行為。如果他在這段時間決定改弦易轍，平靜玩耍的話，那是個很好的選擇，你可以恭喜孩子終於決定這麼做。

如果孩子很早就認識到暫停是怎麼一回事的話，他們的行為有時會像我女兒安德莉雅那樣：當她不喜歡我跟她說清楚講明白，就會在她房裡氣得跺腳、用力把門甩上，她會自己暫停。這時候最好不要管她，直到她心情好轉，走出房門為止。

以下將「暫停」的方式做一些整理：

- 暫停是中斷孩子某個不被接受和不當的行為。在一段短暫且清楚限定的時間內，限制自己與孩子接觸；或者這段時間內，完全不與孩子接觸。
- 在同一個房間裡的暫停，適用於兩歲以下、有分離焦慮的孩子，或者不在自己家的時候使用。你留在孩子身邊，但只稍微注意孩子，直到他肯再度合作為止。使用「安靜椅」時，孩子必須暫時坐在父母旁邊的一張椅子上。
- 父母自己暫停時，請你自己離開房間，留下孩子獨處。自孩子兩歲起，例如孩子鬧彆扭時，這種暫停很有幫助。

- 在另一個房間裡的暫停，適用於兩歲以上的孩子，把孩子帶到另一個房間，並把門關上幾分鐘。每隔一會兒就把門打開，問孩子要不要和好；當他平靜下來時，暫停就結束。

有關暫停的常見問題

這裡針對「暫停」這個課題，回答家長常見問題。

哪個房間最適合？

這要視你家裡的格局而定。重點是，孩子與你之間要能關上一扇門或一道柵欄。家長經常選擇孩子的房間，但這麼一來，之前可能必須先將貴重的或特別有吸引力的物品移開。在實施暫停的房間裡，不可以有電視或電視遊樂器！如果兄弟姊妹共用一個房間的話，就不要拿這個房間來當暫停房間。

主臥室或浴室也很適合，暫停房間所提供的「娛樂」愈少愈好。

有哪些其他做法？如果孩子晚上應該上床睡覺，卻不待在他房裡，該怎麼辦？

與暫停類似的還有一種「開門關門法」也很有用，這在我們所著《每個孩子都能好好睡覺》一書中有詳盡的描述。孩子透過這個方法學會待在自己的房裡睡覺，而不會老是爬起來，跑到父母的床上來。孩子應該學會的規矩是：「如果我留在自己床上，我的房門就是開著的。可是如果我爬起來，在房裡亂跑，房門就會暫時關上，還會被緊緊抓住。爸爸媽媽每隔兩三分鐘，就會進我房裡察看。只有當我躺在床上時，他們才會讓門敞開。」

如果孩子拒絕暫停的話，怎麼辦？

當孩子不肯自願暫停時，就把他帶過去，必要時使用溫和但肯定的肢體力量「敦促」他。請記得，給孩子選擇的機會。

暫停適用到幾歲？

直到上小學都行。如果孩子接受「進你房間」這個要求，而且待在房裡的話，這個方法是沒有年齡上限的。從孩子八或九歲起，就不該再把門緊緊抓住。「動手」把孩子帶進房間，也總有一天不再管用。當大一點的孩子受不了暫停時，就必須採用另一種儘量合理的做法。對此，後文有幾點建議。

如果孩子在暫停結束前離開房間，怎麼辦？

把孩子帶回去並重新設定鬧鐘，重新開始計時。萬一孩子又跑出來的話，必須加以阻止。請你站在門邊，抓緊門把，直到暫停結束為止。

如果孩子氣憤的「大鬧」、踢門而且還辱罵你，怎麼辦？

不怎麼辦！怒氣必須發洩出來。別讓自己被牽連進去。等孩子發洩完為止。每隔幾分鐘就向孩子提出和好建議。當孩子恢復「正常」時，你要把高興的心情表現出來，讓孩子看到。

如果孩子「破壞」房間，怎麼辦？

等到孩子平靜下來為止。當暫停結束時，讓孩子選擇：「可惜現在所有東西都必須再整理乾淨。你要現在做呢，還是我把它們全都清到一個大箱子裡去？可是要一星期後才可以還給你。這由你決定！」

孩子厭惡用來暫停的房間？

如果你使用這裡所描述的暫停法，以公平和尊重的態度對待孩子的話，就不會有這種事。如果你氣憤得失控，對著孩子大吼大叫而且敵視他的話，情況就略有不同。你這樣是在處罰孩子，可是暫停偏偏不是一種處罰，而是一種公平和必然的後果。

如何在外面使用暫停？

若在朋友家，可以帶著孩子待在浴室裡幾分鐘，直到他再度合作為止。若在餐廳，可以和孩子一起到洗手間去，在這個不怎麼有趣的地方待上幾分鐘，直到孩子願意回到餐桌為止。另一種可能的做法是，帶著孩子到餐廳門口，陪他一起坐在門口的凳子上。如果沒有凳子或安靜的地方，也很適合帶到你的車上：陪孩子一起坐進車裡，看看雜誌，等上幾分鐘。當孩子在超市裡「行為脫序」時，也可以帶到門口或車裡暫停。這段時間，就把購物推車擺在收銀台旁邊。重點是，在這段「外地的」暫停時間裡，不要跟孩子講話，不要罵他，不要討論，保持沉默，等到宣布暫停的那幾分鐘結束為止。然後再問孩子，是否準備好再回去超市。因為暫停對孩子來說非常無聊，所以他不會很難決定。

激勵

你小時候，或許常聽到「先苦後樂」這句話。你倒是用不著給你的孩子灌輸這句諺語，不過這後面隱藏著一種很有效的教養方法，特別適合從幼兒園年齡開始使用。

孩子會對你提出很多願望和要求：他想玩、想看電視、與人相約、要你送他到朋友家或去參加活動等等。立刻實現孩子的每個願望並不是個好主意，這樣他學習不到顧及他人的需求，或完成他不喜歡的義務。比較好的做法是，提醒孩子記得他的義務和家裡的規矩。只要他完成他的工作，他的願望就會實現。這類激勵也屬於合理的後果，但這不會讓孩子不高興，他反而會覺得很值得追求。

不過當孩子說出願望時，很多家長卻反而告知孩子一些聽了會不愉快的後果。請根據下一頁表格，來決定哪一種比較有效。

當你激勵孩子並提醒他規矩時，孩子會聽出來：「媽媽相信我做得到。」如果你提前宣布負面的後果，孩子聽到的反而是：「反正媽媽不相信我會遵守規矩。她總是想到最壞的一面。」這會使你們之間，更可能發生爭權的情況。

有時候孩子並不會表達他們的願望，只會說他們不要什麼：「我討厭整理！」「我沒興趣做功課！」這時候你也可以激勵孩子，問問孩子到底想做什麼：「你想不想馬上看小老鼠的節目呀？」「你想不想馬上出去玩呢？」「你今天想不想約

以激勵取代不愉快的後果

孩子的願望	告知不愉快的後果	激勵
「我想看那個小老鼠的節目！」	「如果你不趕快整理完的話，就別想看電視！」	「好啊！只要所有玩具都收進箱子，你就可以打開電視。」
「媽媽，我要去外面踢足球！」	「如果你不做功課，就不可以出去。」	「好啊！等你寫完功課。」
「我朋友今天要來我們家玩。」	「如果你不整理房間，我就打電話取消。」	「好啊！快去整理房間，你們才能在那裡玩。」

別人來玩？」如果你猜對了的話，就只需要再補上一句：「你知道規矩是，你必須先完成什麼事。愈早做完，對你愈好。」

這些激勵常常會幫助孩子完成他不喜歡的工作，但是別期待他會立刻興奮的投入他的工作。也許孩子還會罵上兩句：「這是勒索！」或者明顯心情惡劣的完成他的工作。他有充分的權利這麼做，但等一會兒「玩樂」時，好心情自然會再度出現。

不過也有可能孩子並沒有滿足你的期待，任你再怎麼激勵，他還是不肯做他該做的事。那麼縮短或刪除「玩樂」，就是絕對必然的後果，而非專斷的處罰。

獎賞

提醒孩子規矩和正面的後果，是一種激勵的方式，獎賞也是。有道是：「表現良好、娛樂加碼。」孩子可有表現出他好的一面或努力遵守規矩？要時時睜大你的眼睛觀察。如果有的話，他尤其需要你的讚賞與鼓勵。額外的獎賞，更能強調你對他的讚賞。可以額外多留一點時間付出關心：例如多講一個睡前故事，或一起玩個遊戲；也可以是個特別的電視節目，准許晚一點就寢，一份最喜歡的甜點，或是一個小禮物。

但是，「如果你今天下午讓我安靜工作的話，就給你買個玩具小汽車」這種獎賞，應該事前宣布嗎？物質獎賞寧可節制一點，否則孩子或許會認為：「如果我……就可以得到……」。相反的，共同的活動或撥出時間付出關心，是絕對可以預先宣布的，並藉此來激勵孩子。

規矩－提問－行動

各位已經讀到該如何和孩子講話，好讓他聆聽，也已讀到光說不夠時，哪些做法會有效，以及如何透過鼓勵來激發孩子。不過有些孩子還是很固執，違抗所有規範。正如有位媽媽曾經形容的，孩子似乎有點「冥頑不靈」。我們很可能有一天會失去耐性，會變得不夠堅定，或者犯下某個父母常犯的錯誤。最後一步可能是放棄：「也許對別的小孩有用，但對我的沒用。」

千萬別這麼容易放棄。接下來你會學到非常有效的技巧，將所有目前談過的整合為一，並藉此能讓孩子一起思考，並自己承擔責任。這個的條件是，孩子要能清楚表達，所以應該至少是三或四歲。

規矩

哪些規矩對你而言特別重要？孩子總是一再違反哪些規矩？孩子的哪些行為，對親子關係或一天的生活進程有很負面的影響？請列舉出這些規矩。將它們寫在紙上，或畫個相關的象徵圖在海報上，並掛在明顯可見之處。舉個例子：

▶▶ 亨利（五歲）不想從幼兒園被接回來。當媽媽要帶他走時，他會責罵媽媽而且開始哭。

亨利媽媽想藉由「規矩－提問－行動」的技巧，來改變這情形。她向亨利解釋規矩：「當我去接你時，你要乖乖的跟著來。」她還畫了一幅畫解釋：媽媽和亨利笑嘻嘻的手牽手，這幅畫就掛在廚房裡。227-228 頁，有更多關於這類圖畫的範例。

請指出，當孩子不遵守規矩時，會發生什麼事：「安靜椅」或暫停是明智之舉嗎？向孩子解釋你要採用的必然後果。

亨利媽媽和幼兒園老師，協調好她要採取的行動：只要亨利在她來接時，開始哭鬧或責罵媽媽的話，她就走回車上。亨利必須坐在教室的椅子上等，直到五分鐘後媽媽再回來，給他

用一張簡單的圖，可以向孩子清楚說明他該學會的規矩。
例如這個：「當我去接你時，你要乖乖的跟著來。」

一次新的機會。亨利媽媽非常清楚的向兒子解釋她將採取這項做法。

提問

孩子必須很清楚規矩和後果。當他下一次違反規矩時，你就這麼做：向孩子連續提出四個問題。第一個問題是提醒他注意，他違反了規矩：「這裡怎麼了？」或「規矩是怎麼說的？」

孩子很可能不回答或給個傲慢無禮的答案。那麼請使用「壞掉的唱片」：緊咬不放，再問兩次或三次，但不可以超過三次！孩子如果回答了，就繼續下一個問題。

如果問了孩子三遍也不回答呢？那麼你就自己回答，然後繼續下一個問題：「接下來會發生什麼事？」或「我現在接下來必須做什麼？」

要堅持一定要得到一個答案。請使用「壞掉的唱片」，問到三次為止。正在生氣的孩子，會陷在「我不要！」的情緒裡面，他不會朝未來的方向思考，問這個問題是在幫助他想到後果，並往前思考。當孩子給出一個適當的答案時，再繼續下一個問題。

若孩子不給答案的話，你就自己回答，告訴他接下來會發生什麼後果。之後再問下一個問題：「給你選擇：你要這件事發生嗎？」或者「你要這樣嗎？」

再問孩子最多三次為止。如果孩子不回答，或粗魯無禮的回答，就必須立刻採取行動，讓已經宣布的後果發生。

大部分孩子都寧可不要承擔你宣布的後果。藉這個問題可以提醒孩子，他有選擇另一種解決之道的餘地。如果他回答「不，我不要這樣」的話，便是踏上正途。你可以向他提出下一個問題：「你現在還可以怎麼做？」

如果孩子有答案的話，便自己找到了解決之道，這能讓他更容易把自己的答案轉換成實際的行動。如果孩子辦到了，他就成功了，你也是。讓孩子看見你的欣喜之情！

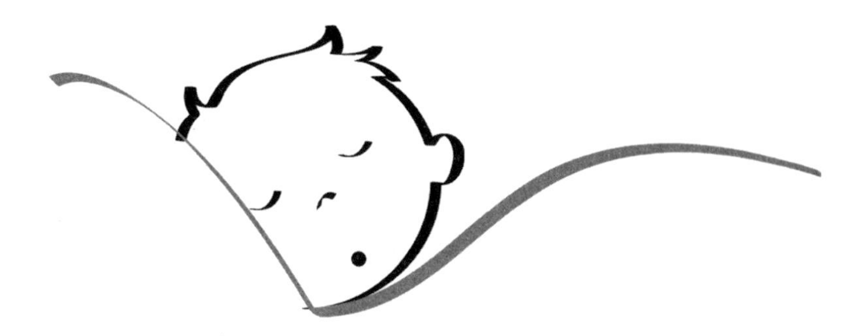

晚上乖乖的待在自己的床上

早上自己刷牙洗臉和穿衣服

好好的和兄弟姊妹相處

講話要客氣

行動

如果孩子不回答，或者即使好好回答，仍然繼續違反規矩的話，這時你必須採取行動，並讓你宣布的後果發生。

▶▶ 前面提過的亨利，剛開始無法回答前兩個問題，大部分都是媽媽回答。直到「你想要我走回車上嗎？」這個問題時，他才有反應：「不要，媽媽，你留在這裡！」

儘管如此，在頭幾天亨利媽媽還是必須步出幼兒園，因為亨利無法停止哭泣。但是過了一會兒，最慢在她問最後一個問題時，他幾乎都會平靜下來，他會得到媽媽的讚美，平靜的和媽媽一起離開幼兒園。一星期後，亨利終於可以不哭，就一起回家。

我之所以那麼喜歡這個技巧，是因為這個技巧也考慮了孩子。不是所有孩子都會回答問題，但是至少都必須跟著思考，他們的思路會被導向解決問題的方向。這樣的進行方式，對孩子來說非常公平。如果父母最後還是得執行後果的話，大可放手去做，不必良心不安。

以行動取代言語的執行重點

不管你使用的是直接了當的必然後果、暫停，或是「規矩－提問－行動」這項技巧，都請注意下列幾點訣竅：

- 每當孩子違反規矩時，都要說一不二的執行後果。只有這樣，孩子才能從中記取教訓。
- 請你言簡意賅，接著保持沉默。
- 強調給孩子選擇：他可以遵守規矩，或必須承擔後果。
- 堅持下去。不要收回已經說出口的後果。
- 當你決定執行的後果數度無效時，請選擇另一種。
- 讓孩子知道你是站在他那一邊的。一旦孩子已經承受過後果，你就應該原諒與遺忘一切。

第三階段：訂約

有些家長雖然下定了決心，卻沒能付諸實行。如果執行起來很不順利，那麼訂定一份計畫可能會有幫助。你可以依照孩子的年齡，和孩子共同協議約定，或者自己規劃。

父母的自我控制計畫

你當然沒辦法和小寶寶或幼兒訂立約定，只能自己確定該改變什麼。請回答下列問題，最好用筆寫下來；三歲的賽巴斯提安的父母，就是這麼做。

哪些行為應該改變？

舉例而言：賽巴斯提安一天會大哭大鬧好幾次。以他的年齡來說，這是不恰當的行為，這個行為必須改變。

這個異常行為多久發生一次？

請先詳細記錄下來，一週內孩子出現這異常行為的頻率，每次持續多久時間，激烈程度如何。你的記錄大致樣貌如此：「這個星期，賽巴斯提安每天鬧二到五次彆扭，每次持續十到三十分鐘。」

選擇哪種後果？

請記下，若孩子再度做出那令人不愉快的行為，從現在開始你會怎麼做。大致可以寫成：「如果用講的沒有用的話，就選擇暫停：只要賽巴斯提安賴在地上哭鬧的話，就不發一語的離開房間；每隔三分鐘到他身邊，問他現在是否要停止哭鬧；如果他哭著跟在我後面跑出來的話，就把他帶進他房裡，並把門關上；站在門邊看管他，好讓他留在房裡；每隔三分鐘就走進房裡，問他要不要和好，直到他冷靜下來為止。

選擇哪些激勵？

「當賽巴斯提安冷靜下來時，就准許他回到我這裡；接下來特別注意他的優點，讚美並鼓勵他。可能的話，在平靜一小段時間後，陪他一起玩個遊戲。」

自我控制：通往成功的道路

- 將你之前所寫的計畫，貼在顯眼且容易靠近之處，好時時提醒自己。
- 告訴某人你的計畫，也許是奶奶或某位好友，也很適合分享給幼幼班老師或小兒科醫師。與別人討論，並傾聽相反的論點，這樣做只有好處，也正好測試你是否真的完全相信你的計畫。
- 要有心理準備，這會很困難。每個正常的小孩，一開始對於父母要改變他們喜歡的習慣，都會抗拒。因此，這對你來說，是嚴厲的考驗著你的耐性，而小孩子多半比大人有耐性。
- 當你成功實踐你的計畫時，給自己一點獎勵，這是值得自豪、並大大誇獎自己的事情。對你和孩子來說，最棒的獎勵當然是你們之後可以相處得更融洽。

如何控制成效？

繼續寫這份日誌，才能清楚看出進步：「一週前開始實施這項計畫，之後賽巴斯提安有三天完全沒有鬧彆扭，有兩天只鬧了一下子，在星期一和星期二，持續大鬧三十分鐘。」

親子之間的約定

快的話，學齡前的孩子就能主動參與，一同規劃親子間的約定內容。孩子本身的點子和建議愈多，就愈會遵守。如果孩子已經會寫字，最好讓他自己把協議好的內容寫在紙上；最後父母和孩子都要簽名，保證會遵守約定。

以下的例子，是八歲的莎拉一同和父母制定的約定。一開始，她和父母每天因為功課而起爭執；但是，碰到其他問題時也可以照這樣做。

這個令人不愉快的行為多久發生一次？

如前述自我控制的計畫，請先觀察這個情況一週，並將相關的情形，提綱挈領記錄成一本日誌。

莎拉媽媽每天在莎拉功課寫完後，開始記錄：莎拉需要多久時間寫功課？媽媽必須幫忙幾次？發生爭執的頻率是多少？

爭執有多激烈？

危機會議

找孩子一起坐下來，好好冷靜的討論一切。多留一點時間做這件事，在討論時不容打擾，與此事無關的兄弟姊妹不需參與。

▶▶ 莎拉媽媽挑選午飯後的時間。她對女兒說：「在你開始寫功課之前，我必須和你談一些非常重要的事。來，坐在我旁邊，有一件事情讓我們倆每天都在生彼此的氣，這一定要有所改變。」

問題何在？

先問孩子自己有沒有什麼主意。然後再告訴他，從你的觀點來看問題何在。莎拉和她媽媽之間的對話大致如下：

▶▶ 媽媽：「你知道我指的是什麼嗎？」

莎拉：「做功課時你老是在挑剔。你指的是這個嗎？」

媽媽：「你正好看出真正的問題所在。對功課這件事情，我真的必須有別的做法，你也是。」

為什麼有些事必須改變？

這問題再度先問問孩子。注意別讓他離題，然後再以簡短易懂的方式，說明你自己的理由。大約像這樣：

▸▸ 媽媽：「莎拉，你覺得為什麼我們兩人必須改變我們的行為？」

莎拉：「我不知道。」

媽媽：「我來解釋給你聽。目前你做功課時，我都一直坐在你旁邊。你經常問我一些問題，我也常幫忙你，然後我們就吵架。你對我吼，我吼回去。上星期我有記下來：你花了至少一小時，甚至常常是兩小時才寫完功課，之後我們兩人都在生彼此的氣。我不要這樣子，我要你獨力完成你的功課，我們再也不要為這件事情吵架。」

要有什麼不一樣的做法？

問孩子是否有改進的建議，並規範出你們將來應該怎麼做。

莎拉媽媽對女兒提出下列問題，並且與她一塊兒找出適當的答案：應該在哪裡寫功課？功課可以寫多久？如何控制時間？你自己可以做什麼？哪些功課我來幫你？你可以犯幾個錯誤？

選擇哪些後果？

如果你們當中有一人不遵守約定的話，會怎麼樣？這也要再問問孩子的想法。

如果時間到的話，會怎麼樣？如果莎拉寫錯太多的話，會怎麼樣？如果莎拉開始罵人或亂吼的話，會怎麼樣？而如果媽媽開始罵人或亂吼的話，又應該怎麼樣？

選擇哪些激勵或獎勵？

危機會議不是一個跟孩子議定獎勵的好時機。若是情況獲得改善了，可以到時候討論獎勵，或是不經討論，直接訂出獎勵的內容。你也應該為自己選出一個獎勵，孩子可以幫你選。

如果莎拉乖巧的做完功課，會怎麼樣？如果媽媽冷靜的遵守約定，會怎麼樣？如果一整個星期都很順利，又怎麼樣？

如何記錄？

請清楚寫下你和孩子未來想要有哪些不一樣的做法，以及你們選定哪些後果（和獎勵）。如果孩子已經會寫字，那麼至少有一部分的約定內容，讓他自己寫在紙上。莎拉和媽媽輪流寫，因為內容很長，所以大部分由媽媽來寫。240 頁的表格內，就是莎拉和媽媽所訂立的約定全文。

如何控制成果？

每天將最重要的事情，簡短的記錄在週曆，月曆、日程表或自己設計的表格內。莎拉和媽媽在約定中協議好，以愛心貼紙（代表莎拉）和笑臉（代表媽媽）表示成功。240 頁的表格中，可以看到她們訂好約後的第一週內所記錄下的內容。

這個星期還不錯，只有星期四搞砸了：莎拉發牢騷，而媽媽走出房間；第二次時莎拉哭了，媽媽罵了人，功課在一小時內還未做完，不過整體而言很有進步。

第三週，每天都有一張愛心貼紙和一張笑臉，莎拉和媽媽在週末，一起在游泳池共度了一個美好的下午。

讓約定成效卓著的要訣

- 與孩子共同議定這份約定，也要接受孩子的建議和點子。
- 你們兩人都簽名，保證會遵守約定。
- 把你們的約定掛在顯眼處，例如廚房門上。
- 約定好的事情要持續進行好幾週，有必要更動時再補寫上去，然後兩人都再簽名一次。
- 如果你和孩子之間的相處有嚴重問題的話，應請求專業協助。你第一個可以諮詢的人是你的兒科醫生。若有必要，他會提供你其他諮商機構或兒童心理醫師的聯絡資訊。

訂立約定的例子

- 「莎拉在她房裡做功課。時間訂為六十分鐘，時間到就結束，作業簿會被收走。如果莎拉沒做完的話，媽媽會在簿子裡告訴老師原因。」
- 「莎拉能自己讀和寫。媽媽到另一個房間去，如果莎拉想問問題，就帶著簿子來找媽媽。最後媽媽會檢查並指出莎拉的錯誤，若出現六個以上的錯誤，莎拉就要重寫。」
- 「數學裡的加法和乘法莎拉自己會寫。碰上減法和除法及很難的習題時，媽媽會坐下來幫助莎拉。」
- 「如果莎拉開始罵人和亂吼，媽媽就立刻安靜離開，五分鐘後再幫忙莎拉一次。」
- 「如果莎拉乖乖寫完功課，就可以在週曆表上貼上一張貼紙。」
- 「如果媽媽保持冷靜且客氣的話，她可以在週曆表上畫上一張笑臉；如果她大吼或者發牢騷的話，就必須畫張哭臉。」
- 「如果一整個星期都很順利，我們倆就想想，可以一起做些什麼美妙的事情。」

（莎拉簽名）　　　　　　　　（媽媽簽名）

	星期一	星期二	星期三	星期四	星期五
做功課的時間	20 分鐘	40 分鐘	10 分鐘（功課很少）	60 分鐘	45 分鐘
莎拉	♡	♡	♡	/	♡
媽媽	☺	☺	☺	☹	☺

獎勵計畫

孩子與你之間的約定不須全以文字寫下，也可以用口頭約定，尤其孩子年紀還小，或者孩子所該學會的規矩相當簡要時。

在這些情況下，透過獎勵計畫來激勵孩子便已足夠。對年幼的孩子，可以把獎勵訂得很簡單；年齡大一點的孩子，也很適合用稍微費時的集點制來獎勵。

給幼兒園兒童的簡單規矩

擬定獎勵計畫之前，必須先訂好規矩。幼兒園的孩子還不會閱讀，這時可以藉助簡單的圖案，提醒他們重要的規矩。舉幾個例子：

- 早上順利完成梳洗和穿衣服。
- 吃飯時在位子上坐好。
- 和兄弟姊妹好好相處。
- 自己玩半小時。
- 晚上留在自己床上睡覺。

- 講話要客氣。

選出一、兩個或三個規矩，不要超過三個。我們在前文已經畫出五種守規矩的圖。你可以拿來影印，必要時還可以塗上顏色，或者針對每個規矩自製一幅圖畫。這些圖，可以把規矩具體的表現給孩子看。

要和孩子就這些規矩再討論一次，讓他明白，如果不遵守的話，會有哪些必然的後果。

不必每次都把規矩複述一遍，只要指一下圖就夠了，所以要把圖掛在顯眼之處。

如果孩子遵守規矩的話，會得到讚美，還會得到額外的獎勵：他可以收集點數，然後拿來兌換一些小獎品。三歲以上小孩的簡單獎勵計畫，可以比照下方這樣制訂。

給三歲以上小孩的簡單獎勵計畫

若是已訂好規矩，圖畫也已完成（或用書裡的），那麼要制定良好的獎勵計畫，就簡單多了。請自由發揮你的創意，也可以採用我們的建議：245-246 頁有一隻微笑毛毛蟲和一條珍珠項鍊供你影印，每張圖都有四組各五個圓圈供你著色，而每一個圓圈，都是可供孩子收集的獎勵點數。

讓孩子從中挑選出一張圖來。每當孩子遵守了一條約定好的規矩，就可以在他的獎勵圖上得到一點；若應同時注意三條規矩，那麼一天就可以達到三點。每一點可以塗滿一顆珍珠，或者在毛毛蟲的圓圈內，畫上一張笑臉。

當孩子集到五點時，就可以得到第一個獎勵：可以是一起玩個遊戲、睡前再多講一個故事、晚一點就寢或是一個小禮物。

毛毛蟲或項鍊塗滿時，就會有個大一點的獎品，這可以在之前就和孩子約定好。這項獎品可以是一起從事某種活動，或是物質獎賞。當然，獎勵要能吸引孩子。

如果一切順利，孩子受到鼓舞，熱情的收集點數，毛毛蟲或項鍊圈圈一個接一個塗滿，接下來就可以選出一條新的規矩來集點。孩子集點的興趣或許在某個時候會減退，這很正常，而且發生的時間點因人而異，不是所有孩子都同樣為獎勵計畫振奮不已。或許父母希望孩子做到的規矩早已成為習慣，根本不需要再特別遵守。萬一過去的不當行為又出現，那麼休息一段時間之後，可以再把它列入獎勵集點圖裡，或自己重新設計。

在學校裡集點

很多小孩開始上一年級時，就不太會遵守校規。有些孩子沒有辦法乖乖坐在自己的位子上，有些孩子沒有舉手就直接發言，或者上課時不專心，干擾同學上課，有些孩子則是幾乎每天都和同學吵架，或者做出攻擊行為。

藉由非常簡單的獎勵系統，你可以持續了解孩子的行為，激勵孩子在學校遵守規矩。老師幾乎都願意配合，因為並不費事。

請和老師談談，你的孩子在學校應該改善哪些行為。非常重要的一點是，用正面的語句來表達。舉幾個可能的例子：

- 與別人好好相處。
- 坐在位子上。

- 照老師的話去做。
- 順利完成作業。
- 發言要舉手，不要直接講。

老師選出一到兩個他認為對你的孩子特別重要的規矩，並且表示願意每天注意孩子是否確實做到。當孩子遵守規矩時，老師這一天會在孩子的聯絡簿上給一個點數。如果孩子沒有遵守規矩，就得不到點數。這樣一來，你可以隨時掌握情況，能和孩子聊聊當天在學校裡什麼做得很好，什麼不好，而且可以和孩子講定，當他收集到一定數目的笑臉時，可以得到什麼樣的獎勵。舉幾個經過證明很有用的獎勵：

- 一隻微笑毛毛蟲：可以玩十五分鐘電腦
- 五隻微笑毛毛蟲：一起去游泳池游泳
- 十隻微笑毛毛蟲：一本漫畫
- 二十隻微笑毛毛蟲：一起去看電影

很多孩子，可以連續數週和數月，都深受這簡單的獎勵計畫激勵。這計畫還有另一項優點：有時候家長在學期末收到成績單時，才知道孩子整個學期有過哪些問題行為，他們十分意外，心情有如從雲端跌落到谷底，也非常後悔沒有及早掌握情況；但透過老師每天的回應，可以讓你避免期末才大吃一驚。

小學生的獎勵計畫：在家裡收集點數

在學校發揮功效的，在家裡也行得通。你可以比老師觀察得更清楚，所以你的計畫要大一點。這裡的建議適用於已經可以閱讀，但在遵守日常規矩上有困難的孩子。

像這樣的獎勵計畫，能鼓勵很多孩子想到更多規矩，因為他們想要儘快收集到很多點數。你可以把計畫略為調整，以配合你孩子的優缺點，尤其要把日常生活中一再造成問題的行為，納入計畫。

另外這份計畫也應包括一些孩子比較不成問題，而且是他比較容易收集到點數的項目。獎勵計畫不可以要求太高，只有當孩子不會很難收集到點數時，計畫才有激勵作用。

若孩子有做到就打個勾，每三個勾可以換一顆彈珠（紙卡或塑膠代幣也行）。彈珠另外收集在一只容器裡，可以保留或當天兌換，至於彈珠的價值則可和孩子一起商議，並以白紙黑字訂清楚。

舉個例子：三顆彈珠可以看半小時電視，或玩半小時電腦，十顆彈珠可以換一個晚上晚半小時就寢。如果他收集到二十顆彈珠，你們就一起去吃漢堡或冰淇淋。三十顆彈珠可以為自己挑選一樣小玩具，四十顆彈珠就帶他去室內遊樂場，五十顆彈珠就可以找一個朋友來花園裡露營。

這個計畫每天都要始終如一填寫。你可以依據個別情況做些更動，例如，若覺得「說話有禮貌」特別重要，這件事可以每天分配達三點之多，或者也可以適度擴充寫功課這件事的點數。

如果正面的激勵無效，還有另一個可能性：孩子每天必須達到所規定的最低點數。萬一辦不到，就必須放棄某些快樂的事，例如晚上玩電腦或看電視，或者必須負責一樣額外的家事：清理洗臉盆、掃廚房或類似的家事。

你有許多發揮個人創意的空間。不過還是有少數孩子即使透過獎勵計畫，仍很難受到激勵，或者只有很短時間受到激勵而已。

為何不是每個孩子都行得通

我從門診經驗中知道，很多家長使用訂立約定和獎勵計畫都很成功，但在有些孩子身上實行起來非常辛苦。有些孩子會以很極端的方式反抗規矩，而且從「必然的後果」和「暫停」中學到的教訓，也只能持續很短的時間。他們的父母永遠無法放心，讓一切順利進行，總是得一再從零開始，得耗盡時間和力氣來規範孩子。為什麼會這樣呢？

特殊問題

孩子從嬰兒期起，願不願意合作就有個別差異，這一點在第一章就已經談過。孩子有時會反抗規矩，因為他們害怕。父母必須考慮到，孩子是否有分離焦慮，或是對某些情況驚慌失措。要在害怕的孩子身上貫徹實踐規矩，是不會有成效的。即

家裡的獎勵計畫

	週一	週二	週三	週四	週五	週六	週日
上學前							
媽媽一叫就起床							
自己穿衣服							
準時坐在早餐桌邊							
自動去刷牙							
及時出門							
講話有禮貌							
放學後							
夾克掛起來							
立刻開始做功課							
講話有禮貌							
睡覺前							
在媽媽幫下忙整理書包							
在媽媽幫下忙整理房間							
自動換衣服							
自動去洗澡和刷牙							
及時上床睡覺							
講話有禮貌							

使關係到孩子的身體需求，也要謹慎為之，若涉及睡覺、吃飯或身體清潔這些事情時，要特別謹慎挑選規矩，太多壓力會造成反效果。

意志堅強的孩子，對父母來說是個特別的挑戰。「由我決定！」是這些孩子的最高指導原則。他們不喜歡規矩，而且會全力反抗：「我才不要照你的話做！」他們會鬧彆扭，或行事衝動來與你對立。有些孩子事情不如他們的意時，會大發脾氣，或做出攻擊性的行為；有些孩子之所以不遵守規矩，是因為任何一件小事都可能轉移他們的注意力，使他們立刻忘記大人的要求。

注意力不足症候群

有個主題最近媒體經常討論：注意力不足症候群。它會以兩種不同的方式顯現出來：有些孩子「只有」注意力有問題，他們很容易轉移注意力，很健忘，時常不專心。這些孩子通常在學校才會引起注意，因為他們比較心不在焉，但卻不會「干擾」課堂。

但是有些孩子另外還會有「過動」和「衝動」這兩項特徵，這些孩子極度的不安，碰到任何一件小事都很容易出現激烈的反應，例如大發脾氣或有攻擊行為。要他們去完成一些他們不感興趣的事情很不容易，而他們的自我控制能力特別差。

這些行為要到什麼界限，才算是問題呢？其實上述行為都是正常的，每個孩子多多少少都會有，尤其當孩子小的時候更是如此。這年紀的孩子本來就會衝動、活動力很強、很容易轉移注意力，而且有時候會做出一些行為，引人注意。不過要這樣的孩子接受規矩也特別困難，他們的父母需要極大的耐力、貫徹力和持續力。孩子雖然學得比較慢，進步比較小，但他們很需要有人引導，並反覆提醒他們守規矩。

只有當這些問題到孩子七歲時都還經常出現，而且發生時都很激烈，使得孩子跟同年齡的孩子相比顯得極為特異，在家和在校的發展也明顯受到阻礙時，才需要考慮原因是否可能為注意力不足症候群。患有此症的孩子，比例低於 5%。

注意力不足症候群，不是教養錯誤所造成的後果，而是一種天生的神經障礙，只有經驗豐富的小兒科醫師或兒童心理專家才能診斷出來。很多病例是需要治療的，治療時家長也要接受訓練。家長如何設定界限，也屬於其中一個訓練項目。關於這部分，這一章已頗多敘述。患有注意力不足症候群的孩子，帶起來比較辛苦，但絕對同樣重要；父母必須一再使用設定界限的所有方式，才能達到成效。

重點整理

三階段實施計畫，幫孩子學規矩

☑ 第一階段：跟孩子說清楚講明白

- 下達清楚明確的指示，控制你的聲調和身體語言。要像個「壞掉的唱片」般，連續多次重複的告訴孩子，該做什麼事。

☑ 第二階段：說到做到

- 孩子最能從他的行為所造成的必然後果中學到教訓。另外還可以依照孩子的年齡，適當使用暫停法。
- 激勵比處罰更有效，最有用的是「規矩－提問－行動」這項技巧。

☑ 第三階段：訂約

- 如果你很難做到貫徹始終、說到做到的話，可以為自己設計一個自我控制的計畫。如果孩子夠大，可以和他一同商議，約定如何改變行為。
- 獎勵計畫也會有效。

還能怎麼做

本章你將讀到

若不想使用書中的行為規範方案，

還有什麼方法？

如何發揮自己的創意，

提出有效的解決之道？

有創意的解決之道

你不想將就的「照書養」？那麼自己提出的解決之道，只要有效，永遠是最好的。

幾星期前，我告訴一位本身有三個小孩的朋友，我正在撰寫本書。她很驚訝的問：「談規矩的書？有需要嗎？我都隨興而為。」誰都希望如此，只有在例外情況下，才會需要一份計畫、一個約定或一本日誌。大部分的時候，你只要照著自己認為是對的去做，就會成功了。

這一章是獻給所有想以有創意和開放的態度，來處理當下要求的人。有創意的解決之道，意味著去做一些意想不到的事，一些孩子也料想不到的事。跳出原有的限制，找出新的解決辦法，絕對是好事一樁。

嚴肅看待孩子的解決之道

有時候孩子比我們還聰明。如果我們好好聆聽他們說話，可以從他們身上學習到寶貴的體認。

聰明的體認

- 四歲的馬克清楚看穿了：「當媽媽跟我講話時，我不需要注意聽。反正她什麼也不會做。可是我的保母是說真的！」（見第二章：父母最常犯的錯）

當馬克告訴我這句話時，他媽媽坐在一旁啞口無言。這小傢伙竟然「看穿」了她，這使她不得不檢討一番。因此，她開始練習說清楚講明白，並以實際行動來證明她說到做到。不久後馬克就清楚察覺到，媽媽什麼時候是「說真的」。

- 丹妮八歲，她媽媽也有類似的經驗。她經常說出「如果……就……」的要求，可是她宣布的後果，多半都不會發生。

丹妮最後還是可以看電視、玩電腦、晚一點就寢，雖然她其實應該先完成和媽媽約定好的義務。她總是一再用藉口、承諾和討價還價來讓媽媽讓步。她們之間的關係滿緊繃的，有時會演變成激烈的口角。

「為什麼媽媽總是預先宣布所有可能發生的事？她這樣做只是氣我而已，根本不在乎我是否真的去做！她說的話從來不會實現！」

這句話刺傷丹妮媽媽的心。她很清楚，「我女兒一點也不尊重我」，也知道這跟她自己沒有貫徹始終有關，但是女兒的結論令她非常訝異。媽媽很怕這樣做會讓丹妮討厭她：「如果我貫徹到底的話，她就不再愛我了。」這時她才發覺，女兒的感受完全不一樣：丹妮覺得她的行為對媽媽而言完全無所謂，她覺得沒有被認真對待，因為媽媽面對她的態度不夠明確堅定。

丹妮媽媽當然不可能立刻的完全改變自己，但現在在她宣布後果之前，會先稍微考慮她是否有辦法貫徹執行到底。當丹妮激烈抗議時，媽媽就說：「即使你不喜歡，我還是必須堅持你要遵守規矩。你的言行對我而言不是無所謂，你對我是很重要的，所以我的做法不會改變。」

意想不到的關心

我從我兒子小克身上，學到用哪種方式可以在剎那間結束一場激烈的爭端。

我女兒麗娜兩歲那年，我兒子小克四歲。我自己帶著兩個孩子到海邊一間度假公寓住上幾天。傍晚時總是匆匆忙忙，我得煮飯，孩子既疲倦又在哭鬧。

有一天傍晚，緊張的情況又發生了：小克故意招惹妹妹生氣。我正忙著和度假公寓配備不齊全的廚房和平底鍋奮戰，無法以正確的方式處理兄妹衝突，而只能用罵的，這樣做當然毫無效果。

就在這時候，我兒子從妹妹手裡搶走她的抱枕，把它丟過房間。抱枕掉落在放滿熱水的洗碗槽裡。妹妹大聲哭鬧，我怒不可遏的抓住我兒子，對著他大吼問道：「你為什麼這樣！」我不斷責備他，拿一些沒有意義的後果威脅他。

我兒子做了一些令人完全意想不到的事：他看著我怒氣沖沖的臉，舉起他的小手，食指輕柔撫摸我額頭上發怒的皺紋，他很平靜的叫了一聲：「媽媽！」

我霎時覺得一切完全不一樣了！我的怒氣頓消，並覺得這樣大發雷霆很可笑。兒子讓我清醒，讓情況再度恢復正常。

你可曾在你的孩子身上嘗試過這麼做？可曾在他正好灰心喪氣、氣憤或行為不當時，溫柔的將他抱在懷裡，撫撫他額頭，慈愛的叫他的名字？這個做法不可能每一次都做，但是值得一試。

做點意料之外的事

想像一下，孩子有個壞習慣已經讓你煩惱很久，你所有想改掉這個壞習慣的努力都宣告失敗。你正陷在孩子尋求注意的反抗裡，而孩子似乎比較佔上風，你一再遭到挑釁。這時候可以逐條應用第三章裡的所有建議，但也可以有完全不同的做法。

建議孩子去做那件他正想拿來氣你的事，如此一來主控權便在你手上，而孩子會發覺：挑釁不再有用。由你來決定遊戲規則，而不是孩子。

誰能做得更好？

- 每天都為了孩子的吃飯習慣生氣嗎？以身作則也都無效嗎？那麼你就反守為攻說：「今天中午我們來比賽大聲喝湯。誰喝得最大聲，誰就是贏家。」
- 你大吃一驚，因為孩子拿最可怕的髒話來辱罵你和別人嗎？可以告訴他：「你知道的詞彙好多，真令我印象深刻。我不知道是否比得上你？我們來比賽吧：用寫的好了，看誰想得出最多髒話。預備，開始……」
- 孩子是個「過動兒」嗎？安靜坐著對他而言很困難嗎？那麼就和他玩個顫抖比賽。你就說：「現在我們來看看，你能不能五分鐘抖個不停？我來看錶。」
- 偶爾會被孩子拳打腳踢嗎？那麼就不要把它當做攻擊行為，而是要孩子一起來玩個遊戲。你就說：「想跟我玩拳打腳踢嗎？那好吧。你已經開始了，現在輪到我。好了，現在又輪到你了。」

- 孩子玩輸時，會勃然大怒嗎？玩遊戲時，偶爾讓孩子贏當然不是壞事；但是輸也屬於生命的一部分，而輸是要學習的。

  向孩子建議說：「下一次誰輸，就是贏」，或是由你提出一個比賽：「誰輸的時候最激動，誰就贏了」；或者正好相反：「誰可以輸得最平靜，誰就贏了。」

  孩子會被搞糊塗，因為他根本已經弄不清楚到底什麼是輸，什麼是贏。但這正是重點！他會學到一起玩才是最重要的，而不是贏。

  這些建議乍看之下或許奇怪，但其中有一些共同點：

- 你讓孩子感到意外。他發覺：「舊的遊戲規則，突然失靈了！」
- 你突然像玩遊戲似的，把孩子的異常行為當做一種成就來讚賞，甚至還跟他比賽。如此一來，這行為在他眼裡便有了新的意義，而且不再適合做為爭取你注意的手段。

在使用這一類方法時，最重要的是帶著遊戲的心態去做，否則很容易變質為尖酸刻薄的諷刺。

另闢新局面

小孩一起玩的時候，常常發生肢體衝突。有孩子被推、被打或被拉頭髮，接著就傳來一陣哭鬧。如果你知道誰是「受害者」，誰是「凶手」就這樣做：

簡短的和始作俑者談一下，然後宣布暫停。如果暫停是在同一個房間進行，你就儘量少去注意「凶手」，然後把所有的關愛都轉移給「受害者」：安慰他、撫摸他、輕輕為他呵氣，把他抱起來，拿玩具給他。直到「受害者」完全平靜下來，才准「凶手」再一塊兒玩。如此一來，會有一段時間大家都不喜歡當「凶手」。不過你對「受害者」的關心，也不要做得太過火。

類似情形也可能發生在幼兒園裡。坐在老師懷裡的，常常是那個「擾亂秩序」的小孩（他打人、不坐下來、大聲吼叫），或者准他挑選要玩什麼遊戲或故事書，這樣大家才有「安靜」的時刻。

如果顛倒過來怎麼樣？只要團體裡有個孩子行為特別乖張，那麼其他人就可以玩一些有趣的遊戲：聽一則新的故事、扮家家酒、很棒的勞作。只要這個孩子不再做出乖張行為，他當然可以參加。

這個方式，也很適合用在兄弟姊妹發生衝突時。

創造幫手

以合作取代對抗，可以讓學習規矩變得容易一點。討論解決之道，而非一再指出問題，是個不錯的方法。

孩子樂意接受誰的解決之道？也許父母的辦法，孩子不怎麼願意接受，他們寧可接受想像中的人物、動物或布偶的。解決之道，最好讓孩子自己找。

問問小布偶的建議

孩子很愛小布偶，它們可以是人或是動物。用簡單的材料就可以自己製作：在一條舊抹布或舊襪子上，縫兩顆扣子當做眼睛就完成了；也可以把襪子或抹布剪開，縫上一個嘴巴，給布偶取個名字。不管孩子是傷心、沒有遵守規矩或有人惹他生氣，孩子會比較願意跟布偶講話，即使布偶配上你的聲音。

讓小布偶問問孩子，到底怎麼了？覺得什麼事情很過分？為了什麼事情高興？下一次如何讓一切更好？你的布偶可以很聰明或很笨，就看哪一種比較能逗孩子笑或刺激孩子思考，這樣對孩子而言，就不是無聊的「衝突對話」。小布偶當然也很樂意回答孩子的問題，如果他喜歡的話，甚至可以將布偶拿在自己手中，配上自己的聲音。

講故事

有位祖母最近給我看一個檔案夾，裡面全是她為三位孫女寫的故事，還配上可愛的插圖。故事中有仙女、小動物和公主，他們會面臨一個問題，或遇上困難的任務需要克服。而誰是英雄呢？在每個故事裡，都可以認出是三位孫女當中的其中一位。

所有故事結局都是好的，最後都會找到解決辦法。奶奶的點子真是太棒了，再也沒有比這個禮物更有特色。

此外她的做法也很專業：心理學家也會利用故事，來幫助孩子克服他們的問題。這些故事可以幫助孩子承認問題，並且間接的接受解決辦法。舉個例子：四歲的拉斯還需要奶嘴才能入睡，他媽媽講 270 頁這個故事給他聽：

拉斯有兩個星期每天都聽這個故事，他媽媽也送給他一個新抱枕。她建議拉斯，照獅子李奧的方法丟掉他的奶嘴。拉斯一開始沒照做，不過有一天下午，他把奶嘴丟進家門前的垃圾桶裡。到了晚上他又後悔了，沒有奶嘴實在很難入睡；但是三天後，就沒有問題了。媽媽原本以為要大費周章，才能改掉這個習慣呢！

如果你有女兒的話，故事主角就得換成一頭小母獅。講故

說故事（一）：李奧和奶嘴

從前有一頭小公獅，名叫李奧。他乖巧可愛，最喜歡整天在外面玩耍。他的小妹妹是頭可愛的獅子寶寶，全家一起住在一個很舒服的洞穴裡。晚上睡覺前，獅子媽媽都會給李奧講故事。

猜猜看，李奧這時在做什麼？**他把一個很大的奶嘴，塞進他的獅嘴裡**，然後吸著奶嘴，那個模樣看起來很奇怪，因為李奧已經長出又大又尖銳的獅牙！故事講完時，李奧想要道聲「晚安」，但是因為嘴裡含著奶嘴，所以只能發出「嗡嗚」的怪聲。**李奧將大奶嘴從嘴裡拿出來，看著奶嘴**，發現它已經被咬得破破爛爛，而且聞起來臭臭的。

這時李奧對媽媽說：「媽媽，我可以去一下洞穴前的小溪嗎？」媽媽答應了，還陪他一起去。李奧要做什麼？他用強壯的獅爪抓起奶嘴，使盡全力將它扔進溪裡。

他們目送奶嘴流走，直到它消失眼前。李奧媽媽給了他一個大大的獅吻，然後再帶他回床上，送給他一個很柔軟的小抱枕，上面有彩色的蝴蝶圖案。過了一會兒，獅子李奧就抱著他的新抱枕，安靜的睡著了。

從此他每天晚上都依偎著他的抱枕。他的舌頭舔到尖尖的獅牙，心裡覺得好得意！

事時，要挑孩子特別喜歡的動物。

再舉一個例子：

▶▶ 六歲的妮娜還在接受媽媽的全套「服務」。她不會自己穿衣服，午餐經常讓媽媽餵，不肯走路，而是坐在媽媽的肩膀上，也不肯自己玩。

只要事情不如妮娜的意，她就哭鬧，所以妮娜媽媽通常會很不耐煩的讓步。她想要改變這一點，為此我們編撰了一個故事，要讓妮娜好好想一想，這一則故事請參考 272 頁。

故事裡的貓咪媽媽，不相信她女兒會做任何事，於是米雅起來反抗，並找到解決之道。所以對妮娜來說，米雅是個討人喜歡的榜樣，而且讓她想到，偶爾也可以說說：「這個我要自己做！」

當然，這類故事不能保證真的「有用」，但是孩子都喜歡能有角色認同的故事。他們多半會接受故事裡提供的解決之道，即使有時候會花久一點的時間。

正面引導

若你比較喜歡有創意的解決之道，或按部就班的設定界限呢？你是最了解自己孩子的人，而且喜愛孩子原來的樣子，這讓你成為最能幹的專家，知道該如何與孩子相處，你會盡你一切所能，做出正確之舉。請想想身為父母的你有何優點：什麼事讓你引以為傲？什麼事你絕對不會有別的做法？請你也要注意自己的優點，如此才能給孩子正面的引導。

說故事（二）：米雅的全能媽媽

從前有隻小貓咪，名叫米雅，她和爸爸媽媽一起住在一間舒適的公寓裡。米雅已經上幼兒園了，有很多朋友。她最喜歡爬樹，也喜歡和跟別的小貓咪一起玩捉迷藏。

每天中午，媽媽都來接她回家。米雅媽媽說：「啊，小米雅，你一定累了。來，**我背你。**」

午餐有米雅最愛吃的小香腸，米雅正要用叉子叉起第一根香腸時，她媽媽說：「啊，讓我來，我來餵你。」

吃完飯後米雅想去貓咪遊戲場玩，但是米雅媽媽說：**「啊，不可以自己去遊戲場！留在這裡跟我玩。」**

晚上媽媽幫米雅脫衣服、幫她刷洗乾淨、穿上睡衣，又幫她刷貓咪牙齒。

米雅原本覺得好棒，她自己什麼都不必做。但是有一天她覺得很受不了，她已經不是小寶寶了！

第二天，媽媽到幼兒園來接她時，米雅說：**「媽媽，我會自己走。我們來打賭，我比你快。」**米雅果然先回到家門口。「米雅，等等我呀！」媽媽已經喘不過氣來了，但是米雅這時早已迅速爬上樓梯。

「我也可以自己吃飯！」米雅喊道。她拿起刀叉，將她的小香腸切成小塊，並用叉子叉起來送進嘴裡。**她媽媽大吃一驚！**

隔天米雅去遊戲場玩，她爬上貓咪樹，一躍而下，讓她媽媽只是坐在椅子上觀看。晚上，媽媽來到浴室時，看到米雅已經洗好澡，穿上睡衣、也已經刷好牙了。

「天呀，米雅，」媽媽說，「想不到這些事你已經全都會自己做了。」米雅很得意的依偎在媽媽懷裡，她們倆嗚嗚的比賽唱著歌，直到米雅漂亮的綠色貓眼睛閉上為止。

重點整理

☑ 嚴肅看待孩子的解決之道

- 孩子出乎意料的認知，以及有哪些可用的解決建議，是值得大人尊重與接受的。

☑ 做點意想不到的事

- 若以遊戲的態度來接納孩子的不當行為，甚至建議跟他比賽這個不當的行為，孩子可能會對此有一番新的看法。
- 如果你的孩子在一群孩子裡行為特別異常，你就和其他孩子一起做個特別有趣的活動。
- 發生肢體衝突時，為「凶手」暫時設定界限，並更關心「受害者」。

☑ 創造幫手

- 當你給小布偶配上自己的聲音時，孩子會覺得解決問題很有趣。
- 讓孩子認出有自己身影的故事，也會促使孩子找出自己的解決之道。

每個孩子都能學好規矩 / 安妮特．卡司特尚作．-- 第三版．-- 臺北市：親子天下股份有限公司, 2022.05
280 面；14.8×18.5 公分．--（家庭與生活；80）
ISBN 978-626-305-233-8（平裝）

1.CST: 家庭教育 2.CST: 子女教育

528.2 111006559

家庭與生活 080

每個孩子都能學好規矩【跨世代長銷經典版】

Jedes Kind kann Regeln lernen

作者／安妮特・卡司特尚（Annette Kast-Zahn）
譯者／陳素幸
德文審定／徐安妮
新版責任編輯／蔡川惠
新版協力編輯／陳瑩慈
舊版責任編輯／呂奕欣、史怡雲、李佩芬
插畫／薛慧瑩
校對／魏秋綢
封面設計／ Ancy Pi
內頁設計／連紫吟・曹任華
行銷企劃／林育菁

天下雜誌群創辦人／殷允芃
董事長兼執行長／何琦瑜
媒體產品事業群
總經理／游玉雪
總監／李佩芬
版權專員／何晨瑋、黃微真

出版者／親子天下股份有限公司
地址／台北市 104 建國北路一段 96 號 4 樓
電話／（02）2509-2800　傳真／（02）2509-2462
網址／ www.parenting.com.tw
讀者服務專線／（02）2662-0332　週一～週五：09:00~17:30
讀者服務傳真／（02）2662-6048
客服信箱／ bill@cw.com.tw
法律顧問／台英國際商務法律事務所・羅明通律師
製版印刷／中原造像股份有限公司
總經銷／大和圖書有限公司　電話：（02）8990-2588

出版日期／ 2022 年 5 月第三版第一次印行
定　價／ 350 元
書　號／ BKEEF080P
ISBN ／ 978-626-305-233-8（平裝）